No buscan reflejarse

José Kozer

No buscan reflejarse

ANTOLOGÍA POÉTICA

SELECCIÓN Y PRÓLOGO
DE JORGE LUIS ARCOS

LETRAS CUBANAS

Edición / Olga Rosa Rius
Cubierta y diseño interior / Flavia Sopo Arzuaga
Imagen de la cubierta / *La mano creadora*, Juan Francisco Elso.
  Instalación en madera y cuerdas.
Composición computarizada / Jacqueline Carbó Abreu

ISBN 959-10-0670-5

Instituto Cubano del Libro
Editorial Letras Cubanas
Palacio del Segundo Cabo
O'Reilly 4, esquina a Tacón,
La Habana, Cuba

LA POESÍA DE JOSÉ KOZER: DEL CACHARRO DOMÉSTICO A LA VÍA LÁCTEA[1]

> «Cruza el cielo un ibis inalterable.»
> J. Kozer, «Regresos»

> «...qué
> más quisiera uno que no haber sido ibis migratorio»
> J. Kozer, «Gaudeamus»

La poesía de José Kozer, de escasa difusión en Cuba[2], es, paradójicamente, una de las más significativas del imaginario poético insular. Si Cintio Vitier ha afirmado que «todo hombre es un *esencial emigrado*»[3], en Kozer esta característica ontológica parece acentuarse por los avatares históricos y familiares que confluyen en él. «Soy Ulises y soy nadie», declaró el poeta en una entrevista[4]. Nacido en La Habana en 1940, hijo de judíos checos (por parte de madre) y polacos (por parte de padre), en 1960, junto a su familia, prolonga la diáspora ancestral y familiar y se radica en Nueva York, donde vivió hasta 1997, año en que se traslada a Torrox,

[1] Se ha utilizado en el título una frase del ensayo de Fina García-Marruz, «Hablar de la poesía».

[2] En Cuba se ha publicado una breve selección de poemas de José Kozer en la editorial Vigía de Matanzas, pero por las características manufacturadas de estas ediciones son de poca circulación en el país. La primera muestra de la poesía de J. K. en Cuba, «Colmos», junto a un comentario biográfico-crítico de Jorge Luis Arcos, «José Kozer: ¿un ser hipotético?», se publicó en la revista *Unión*, La Habana, año VII (19): 33-41, abr.-jun., 1995. Al año siguiente, en *La Gaceta de Cuba*, se publicó una importante entrevista de José Homero a J. K., titulada «Soy Ulises y soy nadie», acompañada de tres poemas suyos y un breve comentario de J. L. A. Un poema fue incluido en el dossier de poesía de la diáspora, «El discurso de la nostalgia», preparado por Ambrosio Fornet y publicado en *La Gaceta de Cuba*, La Habana (5), 1995. En 1999 se publicaron tres prosas suyas, con el título «Autobiografías», en *Unión*, La Habana, año X (34): 40-41. Poemas suyos han sido antologados por J. L. A. en *La isla poética* (Antología de poetas cubanos nacidos a partir de 1940), La Habana, Ediciones Unión, 1998, y en *Las palabras son islas. Panorama de la poesía cubana del siglo XX*, La Habana, Editorial Letras Cubanas, 1999. Muchos textos suyos, copias mecanografiadas de poemas, y libros (enviados a) o traídos por Víctor Fowler (quien publicó un grupo de poemas, acompañados de una nota crítica en *La revista del Vigía*, Matanzas), Margarita Mateo, Reina María Rodríguez, Antonio José Ponte y J. L. A. han circulado entre amigos y poetas cubanos. En realidad, creo que será a partir de *Las palabras son islas* y de esta antología que la poesía de J. K. ocupará el lugar que se merece dentro de la poesía cubana. Para esta edición, el autor cotejó con la editora todos los textos y fijó sus versiones definitivas, por lo que realizó cambios, algunos sustanciales, en muchos poemas, y sugirió agregar otros que no estaban incluidos en la primera versión de esta antología.

[3] Cintio Vitier. *Lo cubano en la poesía*. La Habana, Letras Cubanas, 1970, p. 206.

[4] José Homero. «Soy Ulises y soy nadie. Entrevista a José Kozer». *La Gaceta de Cuba*. La Habana (2), mar.-abr., 1996.

Málaga, en Andalucía (lugar que ya alternaba desde 1972 con su estancia newyorkina); finalmente, desde 1999, vive en Miami. Él mismo ha confesado cómo eligió el castellano como su lengua literaria, y desde 1965 impartió clases de literatura española en Queens College, de Nueva York. Aunque, como se aprecia en su poesía, la ascendencia cubana es esencial en su cosmovisión poética —pero esencial como lo es un paraíso perdido: perdido para el futuro, pero ganado para la memoria y la imaginación creadora y recreadora del poeta—, el poeta ha hecho de su lengua su verdadera patria: poeta «sin nación»[5], dice, y también: «Suplantó / el error de la insularidad con la variable opulencia del lenguaje»[6], pero en otra ocasión expresa muy significativamente: «Calma, verás que existen las palabras, no todo está perdido»[7]. La crítica Aida L. Heredia afirma en su libro *La poesía de José Kozer. De la recta a las cajas chinas*, que: «la poesía se convierte para Kozer en su lengua materna, en su patria».[8]

Es muy interesante reparar en la ausencia del paisaje citadino norteamericano en su poesía. No así el de su infancia y adolescencia en el ámbito urbano del barrio de La Víbora y Santos Suárez en La Habana. Su poesía se nutre fundamentalmente de la naturaleza, de su memoria familiar, de entorno hogareño y de sí misma[9]. En este sentido el poeta funde un substrato de cultura judía con su infancia y adolescencia cubanas, con su condición posterior de emigrante en el contexto, por cierto, multicultural y multiétnico norteamericano, con sus fugas hacia el budismo zen y la poesía asiática, secretando un intenso mestizaje cultural —«(me privan) los mestizajes»[10], dice en un verso. Diríase que a fuerza de mantenerse en la periferia de la modernidad, su poesía puede ofrecer la impresión de instalarse a gusto en el llamado *postmodernism*, lo cual no es del todo exacto. Lo que sí parece anticipar es la condición contemporánea del hombre como un ser transterrado —«soy un ser hipotético»[11], afirmó también el poeta. Creo que esa es la singularidad de su poesía, la que le confiere su riqueza y su complejidad. Sólo que

[5] José Kozer, «*Gaudeamus*».

[6] José Kozer, «Epitafio».

[7] José Kozer, «Preámbulos».

[8] Aida L. Heredia. *La poesía de José Kozer. De la recta a las cajas chinas*. Madrid, Verbum, 1994, p. 13.

[9] Algunas de estas temáticas son ampliamente analizadas en el excelente libro de Aida L. Heredia, edición citada.

[10] José Kozer, «*Gaudeamus*».

[11] José Homero. «Soy Ulises y soy nadie...». *Ob. cit*.

esa confluencia de diversas culturas en un territorio abierto, ubicuo, itinerante se expresan en un idioma: el castellano, o, podría tal vez decirse, en el habla poética kozeriana, la cual, desde su irreductible singularidad, parece transfigurarse para expresar simultáneamente un sin fin de registros sensoriales (olfativos, táctiles, gustativos, visuales, auditivos). Escribe el poeta: «Mi idioma / natural y materno / es el enrevesado, / le sigue el castellano / muy de cerca, luego / un ciempiés (el inglés) / y luego, ya veremos: / mientras, urdo (que no / Urdu) aspiro a un idioma / tercero...»[12]

En su poesía —como en la de Lezama, por ejemplo— el lenguaje quiere potenciar los sentidos al uso como reclamando unos hipotéticos pero esenciales sentidos perdidos (o futuros). Efecto engañosamente barroco, que ha conducido a calificar de neobarroca su poesía. El castellano de su habla poética es más bien intemporal. Asimila la tradición lírica de la lengua y la pone a funcionar en un contexto lingüístico donde el arcaísmo y el modismo, donde diversas variantes del castellano peninsular y americano funcionan en un mismo plano jerárquico. Más que una babel, un caos de hablas diversas pero contiguas, su poesía parece apetecer un habla poética universal y a la vez particular: kozeriana, decía, como sucede de otro modo en Gabriela Mistral o en César Vallejo. No es sólo el tono —como puede reconocerse, por ejemplo, un tono borgiano, nerudiano o lezamiano—, es más: una suerte de protolenguaje, donde el mismo tono cambia constantemente de un registro a otro. Como escribe el poeta: «Su ambición es una: todo el vocabulario»[13]. Afán, en el fondo, trascendente, suerte de verbo encarnado, proyección adánica de nombrar las cosas, y más: de dar testimonio. Sólo que su lenguaje parece querer eludir el dualismo derivado de la expulsión del paraíso (reiterado en su vida tanto con la pérdida física de su patria de origen, como en la de sus padres); su lenguaje, pues, parece desenvolverse en un ámbito anterior a la conciencia del pecado. De ahí que su testimonio poético, tan procaz a veces, en el fondo espiritualiza el lenguaje, lo limpia de connotaciones peyorativas. A propósito, ha expresado el poeta:

> Un poema no es mi mejor momento, un poema no es matutino, luego de rasurarme y de ducharme; no estoy necesariamente limpio, joven, nuevo, renovado en un poema. Un poema me *capta* también ralo, alopécico, *pestoso* (como dicen los malagueños); un poema

[12] José Kozer, «Babel».

[13] José Kozer, «Noción de José Kozer».

contiene el verbo devaluado, la ecología contaminada del cuerpo vertedero de desechos. Cuerpo y texto se juntan: y la reunión contiene virtud y vicio, pecado y salvación, degradación y altura. Cuerpo letal, texto que se sueña ideal. Y viceversa. ¿Cómo no escuchar los borborigmos, cómo no acusar la presencia de ese fango participante, primordial? El artesano parte del estiércol, siempre tiene que quedarle algún rastro de porquería en las uñas. Ya Bajtín se insurgió contra esa idiota división categórica de la parte alta (aristocrática) del cuerpo, la parte mejor y santificada, en contraste con la parte baja (de la cintura para abajo), pudenda, carnavalesca, vertical hacia lo subterráneo putrefacto. Somos materia viva, texto en estado de putrefacción y de irisación beatífica, violencia y mansedumbre, vitriolo y virtud entremezclados, rizomatizados, mestizos.[14]

Sus poderosas sensoriedad y sensualidad se proyectan desde y hacia un hambre de totalidad, consecuentes con una cosmovisión *natural*, suerte de panteísmo contemporáneo, que tal vez evocan el contexto sagrado, confundido de los orígenes, o son como el anticipo de una futura reconciliación del hombre con la naturaleza. Pero este anhelo de inocencia expresa, sin embargo, su trágica conciencia de la existencia, por la mediación de la ironía. Es la ironía el recurso impuesto por la conciencia de la muerte, y por la conciencia de un mundo no precisamente acorde con su anhelo de trascendencia. Pero de la mano de la melancólica o risueña o astuta ironía suele aparecer el cariño, como una suerte de carnal apego a lo inmediato. Una y otra vez la muerte física (de sus padres o la certidumbre de la suya), y la muerte en vida: casi sinónimo de la Historia, introducen un elemento perturbador, fragmentador, desustanciador, en su aparentemente estático, intemporal, armónico orbe poético. Esa dialéctica de anhelo de trascendencia y certidumbre de la muerte, coexiste en su patria, su ciudad, su hogar, su paisaje, su cuerpo físicos y poéticos hasta alcanzar al poema mismo, es decir, a su lenguaje, que es, en última instancia, la expresión suprema de su singularidad, de su *persona*. En cierto sentido sus poemas son como la extensión de su persona, encarnan en su forma característica de percibir —y recrear— la realidad. Sus versos respiran, extienden un brazo, cierran una mano, caminan un rato, de pronto se detienen, piensan, duermen, sueñan, preguntan... Como una persona, son imprevisibles. Su estilo es no tener estilo. Son Kozer. Como la natura-

[14] José Homero. «Soy Ulises y soy nadie...». *Ob. cit.*

leza. De ahí que un crítico haya llegado a hablar de la «sintaxis-Kozer»[15]; otro, del «Efecto Kozer»[16] y otro de «El alfabeto de Kozer»[17].

Además de la denominación de neobarroca, la crítica ya ha señalado algunas de las características más acentuadas de su poesía: su extensión narrativa (o, más bien, sintagmática, diría yo, propia de la creación mitopoética); y el empleo esencial de la metonimia y de la sinécdoque particularmente, donde se puede apreciar su apertura o proyección anagógica: expresar no simplemente el todo por la parte, sino lo trascendente por lo intrascendente, lo espiritual por lo material, la esencia por la apariencia. Escribe Kozer:

> No tengo sabor, me queda el sabor. El sabor a ti de un bolero, de una mesa compartida, el estallido del vino, la risa del pan con la boca llena, la gloria del sol: pan es mediodía, vino es verano, mesa es ágape, amistad. De pronto, no estamos solos sino intertextuales; afinidad, en lo finito, entre cuerpo y momento, poema y compañía. La dicha del acompañado, la risa nutricia de los amigos en verano: *a moveable feast*. Escribo, estoy de fiesta. Sale un poema, fuimos muchos. La mesa está puesta, no hay otro hecho, otra necesidad: reímos; y el tiempo no existe. Masticamos y nada muere. Abro la boca, y el pez se nutre; expectoro palabras y reímos. El verso crece, se extiende, porque mastico, trago, bebo, ingiero. Palabras tintas, palabras boronas, y la palabra borona que te llena la boca mientras la dejas caer, maravillado de redondez, en el poema.[18]

A menudo el poeta crea verdaderos ambientes denotativos (más que connotativos), donde una imagen, una realidad esencial es aludida, asediada desde múltiples denotaciones de objetos materiales. La materia kozeriana (porque de eso se trata) se nutre entonces de una aparente fragmentación porque está puesta en función de expresar una realidad trascendente o que quiere perdurar en el cuerpo poemático —tal en la poética lezamiana— para ofrecer una fijeza, una resistencia contra el

---

[15] Reynaldo Jiménez. Nota de contraportada a *El carrillón de los muertos*. Buenos Aires, Ediciones Último Reino, 1987.

[16] Adolfo Castañón. Texto de contraportada a *Dípticos*. Madrid, Bartleby Editores, 1998.

[17] Orestes Hurtado. «Prólogo» a *Dípticos*. *Ob. cit.*

[18] José Homero. «Soy Ulises y soy nadie...». *Ob. cit.*

caos (y ya se sabe que según el principio de la entropía, toda realidad propende al caos), contra el paso del tiempo, contra la muerte. Esa realidad esencial está como enmascarada, y es función de la poesía develarla o siquiera vislumbrarla fugazmente antes de que se precipite otra vez al río oscuro de donde fue extraída. En este sentido son frecuentes en el orbe poético kozeriano la creación, la pintura (al óleo a veces o como finas acuarelas otras) de una suerte de naturalezas muertas, suspensiones, imágenes provisionalmente estáticas de determinadas realidades, que quieren como mostrar sus instantes de eternidad. Dice el poeta:

> La verdad última es estática. La poesía busca la verdad en la belleza y en lo bueno (sonido de la b: bondad, bienaventuranza). Esa suma hacia lo estático (...) es lo que me mueve y conmueve: retener (soy anal), detener, contemplar. Estar más que ser, tal vez presintiendo conjunción de ser y estar: un devenir hacia el estar, la estancia, la *sala de estar* de la vida diaria, antesala de lo ulterior, estático, uno, establecido, inmutable: inmutable y feliz, por invariable y reunido.[19]

La textura de las cosas, a menudo bastas, espesas, pletóricas de prolongaciones sensoriales, conforman esa su estrategia de resistencia. Es lógico entonces que el mundo de las cosas, de las apariencias adquiera preeminencia dentro del ambiente de lo cotidiano: breves instantáneas de tiempo, espacios determinados, donde a veces desaparece el sujeto, o queda como testigo, o se convierte él mismo en una cosa más, en una alusiva apariencia. Ocurren entonces como relatos, anécdotas de la naturaleza, de lo material, de las cosas mismas. Acaso una de las imágenes más significativas de esa suerte de suspensión del movimiento la encarne su emblemático «ibis inalterable», o algunos de sus poemas zen. Por eso se tiene a veces la impresión de la falta de un centro, como si las cosas quisieran poblar, llenar ese vacío. Dice el poeta: «Centro, helado: el mundo, exterior»[20]. Mas en última instancia el poeta está cantando, alabando la plenitud del mundo, desde una alegría creadora que no puede esconder el lamento por su cuerpo perecedero: más perecedero a menudo que las cosas mismas. Las cosas «no buscan reflejarse» como las personas; las cosas detentan una existencia suficiente, sin calificativos. Pero *cosas* que no son objetos desprovistos de significado, de afectivi-

---

[19] *Idem.*

[20] José Kozer, «1983: final».

dad, ni emulsiones ciegas de un caos, de un ingobernado azar, carente de sentido, sino cosas que llenan un vacío, que dan sentido a la existencia; cosas paladeadas, sobadas con un cariño conmovedor. Ya advertía Jorge Mañach sobre ese «deseo de familiaridad con las cosas», esa «familiaridad criolla», calificándolo como «el rasgo más ostensible y acusado de nuestro carácter»[21]. ¿Qué será, pues, de las cosas cuando alguien no esté para cantarlas, para otorgarles sentido, trascendencia?

De ahí acaso que el poeta le confiera una misión ineludible, sagrada al acto de ofrecer su testimonio a través de su escritura incesante. Porque escribir, para el poeta, no es sólo dar testimonio, sino su forma esencial de relacionarse con el mundo exterior, más: su manera de darle sentido a su propia existencia. «Tengo hambre y abro un libro»[22], dice en un verso. Sería conveniente transcribir, a pesar de su extensión, un juicio de uno de sus mejores críticos, Jacobo Sefamí, donde se describe muy claramente uno de los sentidos de la escritura para Kozer:

> José Kozer escribe y escribe; su ansia no halla consuelo. Tal vez nunca esté satisfecho, y hacer poemas sea para él una condición de vida: algo ineludible y cotidiano. (...) En otra parte he dicho que Kozer practica la escritura como un modo de sobrevivencia; se sabe que se está vivo, porque hay testimonio de ello en el papel. (...) Kozer es un escritor sumamente organizado. Desde los años setenta, va sumando sus poemas (éditos e inéditos) en carpetas de 60 textos cada una. La primera lleva por título A, la segunda B, la tercera C, y así sucesivamente. Al llegar a la Z, Kozer siguió otra vez con la secuela de las letras, duplicándolas: AA, BB, CC, etcétera. (...) el aleph (primera letra del alfabeto hebreo) es una letra muda que contiene el nombre de Dios. Así, Kozer continúa una tradición bíblico-cabalística; como buen judío, está obsesionado con las letras y sus valores numéricos. El Sefer Yetzirah (del siglo III d.C.), revela que Dios creó el mundo con las 22 letras del alfabeto; la creación, según los cabalistas, es un acto lingüístico: basta que se mencione una palabra para que aparezca su referente (...) Por estas razones yo he instado a Kozer a que alcance el número de la creación.[23]

---

[21] Jorge Mañach. *Indagación del choteo*, Ediciones Revista-Avance, La Habana, 1928.

[22] José Kozer, «Lugar».

[23] Jacobo Sefamí. «Las cuentas de José Kozer». Prólogo a *AAA1144*. México, D. F., Verdehalago, 1997.

Mas regresemos ahora a una de las evocaciones centrales de su poesía: Cuba, su patria de origen. Es muy significativa la forma en que se apropia el poeta de una realidad con la que no tiene contacto físico desde 1960. Ya decía al principio de este prólogo que su obra poética —una de las más difundidas y traducidas entre los poetas hispanoamericanos vivos[24]— no ha tenido hasta la fecha la difusión que merece en Cuba. De ahí la necesidad de esta antología que pretende familiarizar al lector cubano con lo mejor de su obra poética. Para cualquier lector de su obra, más allá del peso de sus referencias a sus ancestros judíos europeos, no quedará duda alguna que el sentido que le confiere Kozer a su nacimiento en esta isla, donde transcurrió su infancia y adolescencia, y donde adquirió la lengua que eligió para expresar su poesía, es el más profundo de su vida. Cuarenta y dos años después de su salida de la isla, Kozer sigue considerándose un poeta cubano, aunque, seguramente, antes que todo, un poeta. Fidelidad a sus orígenes, y lealtad a la adquisición de una lengua que es como su segunda patria. Es acaso el ejemplo arquetípico de pertenencia a una comunidad desde la lejanía. Pero es que la lejanía la lleva el poeta en el alma, escriba o no en su país de origen. Pienso en Casal. Más allá de cualquier consideración política, Kozer no sólo ha deseado ser cubano, sino que se sabe, se siente, se reconoce cubano. Cubano de la diáspora, como ahora es común decir. Sólo que a la diáspora, emigración, exilio cubanos —fenómeno migratorio, por lo demás, tan extendido como fenómeno cultural desde el fin del siglo XX y principios del presente en todo el mundo, aunque predominantemente en el llamado Sur— el poeta añade la experiencia de sus padres, y la experiencia ancestral de la diáspora judía. Esto le ha permitido acaso asumir y expresar este fenómeno con una profundidad, no exenta de desgarramiento, y cierto distanciamiento, poco común en la poesía cubana de la diáspora, muchas veces demasiado apegada a sus condicionantes políticas inmediatas. En la poesía de Kozer la diáspora se expresa como una condición permanente, ontológica del ser humano, acentuada en el poeta, en el que escribe, en el que da testimonio, como un elemento creador. Y, a la vez, la diáspora, como consecuencia de la Historia, tampoco deja de otorgarle a esta última una condición tanática.

En otra ocasión me preguntaba cuál es en última instancia la patria de un poeta. Y me respondía que en cierto sentido la patria de un poeta es su lengua. Ahora bien, si a través de esa lengua el poeta enfatiza el

[24] Su obra ha sido incluida en más de veinte importantes antologías del ámbito hispanoamericano y norteamericano, y ha sido traducida al francés, portugués, inglés, griego, hebreo, alemán e italiano, además de haber sido ampliamente difundida en muchas de las más prestigiosas revistas del idioma.

sentido de su lugar de nacimiento, entonces se legitima algo más que un idioma heredado por un azar geográfico y familiar. Se legitima una comunidad, una manera de sentir, percibir y expresar la realidad; una cosmovisión incluso. Y este es el caso paradigmático de José Kozer. Su asunción del ser cubano se expresa en varios niveles de apropiación. En primer lugar, el poeta comienza a escribir cuando ya está fuera de la isla, y su primer testimonio poético tiene por título, significativamente, el de *Fuera de Cuba*. Quiere esto decir que su primera experiencia con la palabra se cumple para dar testimonio de la pérdida de su patria. No sólo se perdió el paraíso, no sólo se perdió la infancia, sino también la patria, la *phisis*, el reservorio de materia, de imágenes que nutrieron sus orígenes. De este triple destierro se nutre su poesía. Tampoco se puede olvidar, en otro plano, que, como aseveraba Mañach, «El destierro en Cuba es una categoría histórica»[25]. Recordemos también la frase lezamiana de que «la imagen tiene que empatar o zurcir el espacio de la caída». No es extraño pues que el poeta idealice, mitifique el tiempo y el lugar perdidos. En una ocasión llega a afirmar: «Mi Patria es la irrealidad»[26]. Sólo como un ejemplo de sutilísima conciencia lingüística y poética se puede comprender cómo el poeta retiene en su memoria y expresa en su poesía una inmensa variedad de elementos del habla cubana, de sus modismos, de su jerga popular, como una manera también de percibir y sentir la realidad en general. No sé si se ha reparado en la afinidad que existe entre ciertas denotaciones lingüísticas de lo cubano en la poesía de Kozer con otras que aparecen en el diario de campaña *De Cabo Haitiano a Dos Ríos*, de José Martí. En el fondo operaba una necesidad psicológica y afectiva similar: nombrar las cosas como un modo de apropiarse de la realidad, de con-fundirse con ella[27]. Pero, por si fuera poco, esta condición abierta, asimilativa, característica de la cultura cubana, o acaso de ese ente metafísico llamado insularidad —que más bien encarna en una perspectiva subjetiva de la sensibilidad—, y que propende a complementarla con lo que está más allá de ella misma, le han permitido apropiarse de otros muchos elementos de las distintas variantes del castellano en América: mexicanismos, peruanismos, etc., o incluso del castellano peninsular, ámbito también muy presente en el poeta. Si se le suma a esto el vocabulario de su ascendencia familiar judía-europea, el de su prolongada vivencia norteamericana, el de la

[25] Jorge Mañach. *Historia y estilo*. La Habana, Editorial Minerva, 1944.

[26] José Kozer, «Centro de gravedad».

[27] Véase: «Bonancible», conmovedora poética de *lo cubano*.

cultura religiosa e histórica judías, y el de la cultura universal, señaladamente la asiática (el poeta ha hecho excelentes traducciones a partir de versiones al inglés de la poesía japonesa, por ejemplo, y no es un secreto el peso silencioso pero profundo que tiene la poesía y la cultura china y japonesa en la poesía cubana desde el modernismo hasta nuestros días), el resultado es un insólito *ajiaco*, como diría Fenando Ortiz, muy singular, pero no por ello menos cubano, sobre todo si lo consideramos como un adelantado de esa cultura cubana transterrada o de la diáspora característica de la contemporaneidad. Acaso no por casualidad el poeta desea «recuperar (dice), una serena tradición que se reúna con una alegre, diversa, reidora y rompedora modernidad», típica tradición de la cultura cubana siempre abierta a la asimilación de la cultura universal. Pero, en la misma entrevista citada, cuando se le pregunta «¿De qué modo repercutió tu interés por la poesía oriental y el zen en tu poesía?» y cómo «Ese misticismo no se contradice con tu ascendencia judía», para nuestra sorpresa el poeta responde:

> Agarra el Viejo Testamento, cuán terrible es el Dios de Israel (el padre). ¿Y qué pasa con la madre, suave e intercesora? Esa es Cuba, fuego que se escinde y tranquiliza, se vuelve ascua, rescoldo, calorcillo de atardecer tropical. Mas Cuba se me fue, a los veinte años: me expulsó. El expulsado la empezó a buscar y recuperar en todas las formas posibles y suaves que la madre representa: paliativo del Dios duro, Jehová justo (implacable; el Inaplazable).[28]

Entonces Cuba es la madre, Cuba es la mediadora. ¿Y qué es la poesía sino una esencia mediadora entre el poeta y la realidad, a veces también única sustentadora posible frente a las intolerables ráfagas de irrealidad que nos acosan? Pero esa madre «suave e intercesora» tiene que operar en el poeta desde su radical lejanía. Por eso, esa su mitificación conmovedora es una presencia recurrente en su poesía. Otra característica de la presencia de referentes cubanos en su poesía es su falta de solemnidad, su presencia a veces casi lúdica, familiar, cariñosa. Lo que no lo exime de preguntas de más hondura espiritual y poética: «¿Y qué va a ser de la Patria de mi materia?»[29]. O de cierta veta trágica. Es que ya se sabe que el cubano esconde muchas veces su desgarramiento a través

---

[28] José Homero. «Soy Ulises y soy nadie...». *Ob. cit.*

[29] José Kozer, «Centro de gravedad».

de la idealización, o de la alusión a lo intrascendente, o de la simple pero alusiva evocación sensorial.

Aida L. Heredia, en su libro *La poesía de José Kozer. De la recta a las cajas chinas*, desarrolla como su tesis central el concepto de la «cotidianidad trascendente», muy oportuno para comprender la poética kozeriana, y lo vincula, además, a su relación con el budismo zen, sobre todo por su integración a la naturaleza. Lo que no queda muy claro en el libro es su compleja pertenencia a la poesía cubana. La crítica utiliza el término de «desterritorialización», este sí muy sugerente para la intelección de su poesía. Otro crítico, Gustavo Pérez Firmat, no se decide por un juicio concluyente al respecto.[30] El equívoco parece provenir de tratar de vincular a un poeta a una determinada tradición poética nacional para probar así su pertenencia a una comunidad nacional. Con independencia de que Cuba es una presencia constante en su poesía, su pertenencia a una literatura, a una cultura, no excluye su relación con otras. Por otro lado, no son las comunidades solamente las que vinculan a un poeta a una literatura nacional, sino que a menudo es precisamente la singularidad, la extrañeza, lo que le confiere un lugar privilegiado dentro de dicha tradición. El propio poeta ha contribuido en parte a la confusión aludida, cuando expresa:

Si mi poesía entra dentro del ámbito de la poesía cubana, y, por supuesto, dentro del ámbito de la poesía, que es lo que todo poeta preferiría, rompiendo barreras nacionales y efímeras, es cosa que no sabré: ni es cosa que me corresponda saber o decir.

Ahora bien, creo que respecto a la trayectoria cubana hay algo en mi trabajo que no encaja del todo con lo cubano. Ese algo, supongo, tiene que ver con mis numerosos exilios: el de la personalidad, el de ser un cubano (primera y última generación) de padres judíos, el de ser un judío de origen ashkenazi en la ciudad de La Habana... esos exilios que implican desde el comienzo una voz doble, una voz en el árido terreno de la zarza ardiente y en el tropical terreno de la humedad... voz donde se reúnen a perpetuidad, la ancestral voz de mis antepasados y la actual y ancestral voz de mi patria de

---

[30] Dice Gustavo Pérez Firmat: «La poesía de Kozer, en la cual confluyen su herencia hebrea, su nacimiento y crianza en Cuba y su larga estancia en Nueva York, se escribe desde un no-lugar. Creada al margen, en una especie de *no-man's language*, se resiste a encasillamientos fáciles y filiaciones ortodoxas. Podría decirse que no conoce más tradición que la propia, la que se ha ido forjando en poemas y poemarios sucesivos... Se trata de un poeta 'cubano' de difícil ubicación dentro de la poesía cubana, tanto la escrita en la Isla como la producida en el exterior». En: Aida L. Heredia, *Ob. cit.*, p. 23.

nacimiento... Y luego el desarraigo... Todo eso se junta para hacer de mi trabajo algo aparentemente menos cubano y que tal vez tenga mucho que ver con el cubano actual... que es una especie de cubano judío, de mulato judío, de híbrido múltiple y desarraigado, que deambula y *derelicta* por toda la tierra, conociendo finalmente la diáspora, madre nutritiva y verdadera de toda creación.[31]

Pero como escribe Orestes Hurtado: «Kozer regala sus mitos. O sea, una irrealidad verdadera»[32]. Por lo demás, tampoco necesitaba la poesía de José Kozer su énfasis explícito en lo cubano para ostentar cubanía y mucho menos relevancia o calidad poéticas. En última instancia un poeta se mide por su singularidad (que proviene de la extrañeza desde donde nos habla y de la extrañeza que es capaz de despertar en nosotros); por su manera peculiar (irrepetible) de decir su palabra, de escucharse su voz; por su imaginación y poder cognitivos —ya intelectuales, ya afectivos, ya sensoriales—, dables de activar los nuestros; por su forma de crear un universo lingüístico suficiente; simultáneamente, en algunos casos mayores, por su capacidad para conmovernos; y, sobre todo, por ese su como natural develamiento de lo desconocido, a la vez que preserva su misterio. Todos estos dones pueblan la poesía de José Kozer, quien desde ya debe considerarse como una de las voces más auténticas de la poesía cubana en cualquier tiempo.

JORGE LUIS ARCOS
23 de julio, 2001

---

[31] En: Aida L. Heredia, *Ob. cit.*, pp. 24-25.

[32] Orestes Hurtado. «Prólogo» a *Dípticos*. Edición citada.

«Los patos salvajes no buscan reflejarse
ni las aguas anhelan recibir
su imagen.»

ZENRIN KUSHU

De
Y así tomaron posesión en las ciudades
(1978)

José
Kozer

SHUL

Los hijos de Lev, los hijos de Smoliansky
al pase de lista,
buen día buen año: temor a alzar la vista
y puntualidad
pues el rabino de ojos benévolos
y la sabiduría implacable
reprende y conmina a la adversidad: Rabí,
duras bancas
y la alimentación prescrita, prohibición
del pez sin aletas ni escamas,
el animal milano, abominable: veda
contra el chancho y la liebre, puñados
de cebada sin levadura, la sopa
clara (acelgas)
y el *borscht*, la zanahoria, coles
que se estatuyan para la contaminación: todo
estudio en el niño ratifique la obligación
        (grabad, pues, grabad)
la flor del limonero, fuerte pecado: reuniones
del grupo varón a la salida de la escuela
(Minsk) perteneciente
al maestro venerable Eliezer
capaz del alborozo en Purim
y de ceder una alegría a la hora de los postres
para sus colegiales: compotas,
uvas pasas
y la ciruela un negro granizo de Rusia
bajo el culto: al alba
y tras la ensoñación de las filacterias
confirmación
delante del Rabí
por palabras: Maestro,
somos gente sencilla,

los exabruptos de la moral son fatigosos,
la formación de las aves
consagra la mano de Dios sobre el rocío,
abre su espiga
al hambre en los graneros.

De
Jarrón de las abreviaturas
1980

José
Kozer

ZEN

El arquero, un paso al frente, imitación de la grulla en la quietud
     anterior al graznido.
Abre su posición, la mano imita el arco.
Los ojos buscan la diana en sus pupilas.
Rocío (el arquero a punto de captar una imagen al alba).
Surca la flecha, pasa.
El arquero, inmóvil, la mirada fija en la arrogancia de su esterilidad.

De
Bajo este cien
(1983)

José
Kozer

Álbum de familia

«Irá, es cierto, llorando el que lleva
el zurrón de la semilla»

(Salmo 125)

ÉSTE ES EL LIBRO DE LOS SALMOS QUE HIZO DANZAR A MI MADRE

Éste es el libro de los salmos que hizo danzar a mi madre,
éste es el libro de las horas que me dio mi madre,
éste es el libro recto de los preceptos.
Yo me presento colérico y arrollador ante este libro anguloso,
yo me presento como un rabino a bailar una polca soberana,
y me presento en el apogeo de la gloria a danzar ceremonioso un minué,
brazo con brazo clandestino de la muerte,
yo me presento paso de ganso a bailar fumando,
soy un rabino que se alzó la bata por las estepas rusas,
soy un rabino que un Zar enorme hace danzar ante los bastiones de
     la muerte,
soy el abuelo Leizer que bailó ceñido ceremoniosamente al talle de
     la abuela Sara,
yo soy una doncella que llega toda lúbrica a dilatar las fronteras de
     esta danza,
yo soy una doncella dilatada por un súbito desconcierto de los tobillos,
pero la muerte me impone un desarreglo,
y hay un búcaro que cae en los grandes estantes de mi cuarto,
y hay un paso lustroso de farándula que han dado en falso,
y son mis pies como un bramido grande de cuatro generaciones de
     muertos.

TE ACUERDAS, SYLVIA

Te acuerdas, Sylvia, cómo trabajaban las mujeres en casa.
Parecía que papá no hacía nada.
Llevaba las manos a la espalda inclinándose como un rabino fumando
    una cachimba corta de abedul, las volutas
    de humo le daban un aire misterioso,
comienzo a sospechar que papá tendría algo de asiático.
Quizás fuera un señor de Besarabia que redimió a sus siervos en épocas
    del Zar,
o quizás acostumbrara a reposar en los campos de avena y somnoliento a
    la hora de la criba se sentara encorvado
    bondadosamente en un sitio húmedo
    entre los helechos con su antigua
    casaca algo deshilachada.
Es probable que quedara absorto al descubrir en la estepa una manzana.
Nada sabía del mar.
Seguro se afanaba con la imagen de la espuma y confundía las anémonas
    y el cielo.
Creo que la llorosa muchedumbre de las hojas de los eucaliptos lo
    asustaba.
Figúrate qué sintió cuando Rosa Luxemburgo se presentó con un
    opúsculo entre las manos ante los jueces del Zar.
Tendría que emigrar pobre papá de Odesa a Viena, Roma, Estambul,
    Quebec, Ottawa, Nueva York.
Llegaría a La Habana como un documento y cinco pasaportes, me lo
    imagino algo maltrecho del viaje.
Recuerdas, Sylvia, cuando papá llegaba de los almacenes de la calle
    Muralla y todas las mujeres de la casa Uds.
    se alborotaban.
Juro que entraba por la puerta de la sala, zapatos de dos tonos, el traje
    azul a rayas, la corbata de óvalos finita
y parecía que papá no hacía nunca nada.

MI PADRE, QUE ESTÁ VIVO TODAVÍA

Mi padre, que está vivo todavía,
no lo veo, y sé que se ha achicado,
tiene una familia de hermanos calcinados en Polonia,
nunca los vio, se enteró de la muerte de su madre por telegrama,
no heredó de su padre ni siquiera un botón,
qué sé yo si heredó su carácter.
Mi padre, que fue sastre y comunista,
mi padre que no hablaba y se sentó a la terraza,
a no creer en Dios,
a no querer más nada con los hombres,
huraño contra Hitler, huraño contra Stalin,
mi padre que una vez al año empinaba una copa de whisky,
mi padre sentado en el manzano de un vecino comiéndole las frutas,
el día que entraron los rojos a su pueblo,
y pusieron a mi abuelo a danzar como a un oso el día sábado,
y le hacían prender un cigarrillo y fumárselo en un día sábado,
y mi padre se fue de la aldea para siempre,
se fue refunfuñando para siempre contra la revolución de octubre,
recalcando para siempre que Trotsky era un iluso y Beria un criminal,
abominando de los libros se sentó chiquitico en la terraza,
y me decía que los sueños del hombre no son más que una falsa
    literatura,
que los libros de historia mienten porque el papel lo aguanta todo.
Mi padre que era sastre y comunista.

NOCIÓN DE JOSÉ KOZER

No es el hijo ni del lobo ni de la cordera, de ahí su sentido de la
     organización.
«Acabo de contar 28 gaviotas rumbo a poniente.» No es capaz de bajar
     las escaleras corriendo como si hubiera visto
     un alma en pena para comunicar a su mujer
     Guadalupe la noticia: 28 gaviotas le recuerdan
     la fecha de su nacimiento, se retiene,
algo sombrío y que no remite de pronto lo apremia.
Pero pasa a la diversidad, ahí se zafa: cierto que está a merced de la
     literatura pero quién no.
Graneros, *kvas*, Pushkin, Levín: no hay novela del siglo XIX que por uno
     u otro motivo no le impresione.
Impresionable: las manzanas lo dejan boquiabierto.
Mucho más, el azul.
Su ambición es una: todo el vocabulario.
Describir el uniforme del teniente primero de húsares, la ambientación
     de un rostro en una casa con establos y troikas,
     olor dulcísimo a boñiga de los caballos.
Los vuelos y las telas (bromas) de los vestidos de Mademoiselle
     Kaushanska.
Quizás, sus lecturas no han sido del todo inútiles: ha dejado de pensar
     en aquella reina suprema de las tablas aún sin
     historiar, la actriz Olga Isaamovna en cuyo amor,
     ocho años, jamás hallara un pañuelo ni un parasol.
La noche de la separación encontró en la sala un zapato, una boquilla.
Noche de bodas.
Podía haber escrito una novela: sin embargo, otras son las escenas que
     ahora lo atraen.
Así, para 1974 (homenaje a Guadalupe) recompuso como en un juego
     de bujías y de tarjetas postales sus primeras
     contemplaciones habaneras.

PERO YO VUELVO A LA CARGA INVISIBLE DE LOS VERSOS

Pero yo vuelvo a la carga invisible de los versos,
firmo con dolo, sangre, vejación, impertinente
afirmo, yo doblo el calcañal,
y como un buey endurecido por la obligación
entiendo yo que un trío de mujeres quiso dilapidar mis versos,
hubo abominación, hubo disposiciones, asesinaron en mi propia casa,
pero yo como el buey ungido sigo regurgitando, urdo
en otras regiones, me alzo sobre las tribus de Leví,
y descargo estos rebaños de versos menores,
contra la grave hegemonía de reyes, de mujeres, de naciones.
Sí, yo recargo la palabra, suscito la devoción y la apostasía,
y no me hinco, solo me contamino
por duplicar y repetir la turbia interjección
de este poema impenitente.
Soy el poeta, en extremo rigor de muerte,
y soy un pueblo de rumbas dolorosas,
yo soy José, soy benjamín de los acontecimientos,
Judit con la macabra cabeza de un gigante entre sus femeninos dedos
    rectos.

GAUDEAMUS

En mi confusión
no supe ripostar a mis detractores, aquéllos
que me tildan
de postalita porque pronuncio la ce a la manera castellana o digo tío
      por tipo (me privan) los mestizajes
(peruanismos) (mexicanismos)
de la dicción y los vocablos: ni soy uno (ni otro) ni soy recto ni ambiguo,
      bárbaramente
romo
y narigudo (barbas) asirias (ojos) oblicuos y vengo del otro lado
del río: cubano
y postalita (judío) y tabernáculo (shofar y taled) violín de la Aragón o
      primer corneta
de la Sonora Matancera: qué
más quisiera uno que no haber sido ibis migratorio (ludibrio) o corazón
esporádico
hecho al escándalo de quien a la hora nupcial, a la hora
del festín
cruza el umbral y aspira un olor a jarabes (olor) a frutas tropicales
      y eneldo: pues
soy así, él
y yo, cisterna y limbo (miríadas) las manos que trepan por la escala,
      contaminan
el pensamiento
de tiña y verdín (aguas) imperturbables: sin nación, quieto
futuro
y jolgorio de marmitas redondas (mis manos) son mi raza que hurgan
      en la crepitación
de la materia.

Trípticos

«mas volverá radiante de contento
trayendo sus gavillas»

(Salmo 125)

WO

Para Juan Pedro Castañeda

El filósofo Mo Tse enseña: refutarme es como tirar huevos a una roca.
Se pueden agotar todos los huevos pero la roca permanece incólume.
El filósofo Wo agota los huevos del mundo contra una roca
y la conquista.
Primero, al hacerla memorable.
Segundo, porque en lo adelante y dada su amarillez excesiva
quienes acuden a la roca
confunden la luna y los caballos.
Y tercero, aún más importante: un veredicto actúa sobre otro veredicto,
anula la obsesión de sus palabras.

LA GUERRA EN LOS BOSQUES

Anoche
llovió y quedan esquirlas de la luna en los charcos. En un claro
de bosques
la luna nueva, estancada. Un disparo: el caballo
a galope
por las esquirlas de la luna y el jinete a galope
que confunde
un destello y la luna nueva bajo el limo.

EN LA MONTAÑA DE NEBÓ

«Ésta es la tierra... Te la he puesto ante los ojos,
más allá no has de pasar.»

(Deuteronomio 34:4)

Es
lo que vio en la estepa: diez percherones bayos, pacer. Entre
la avena
aún verde, mascaban. Iba, se aproximó al pozo surgido y se inclinó:
        el musgo
en el brocal
cuando apoyó los antebrazos y un ánsar cuando echó la cabeza hacia
        atrás. Y miró, encima
la estela
y el fondo, se despeñaron sus ojos hacia el fondo del pozo y vio en todo
        su vigor la arboladura de los mares, diez
soles
blancos y aquella luna que lo orientaba. Era la orilla, el filo: y blandió
la cimitarra. De
un tajo dividió las aguas y se sumió en la luna que dividió de un tajo
en el fondo
del pozo: aquí, se edificarán las ciudades. Las contempló ascender
        del sueño y descender, ciudades
destituidas.

FULGURACIÓN DE LA NARANJA

En una cámara nupcial la novia se deshilvana entre los reflejos de un
   Libro de Horas.
El novio
en la habitación contigua anota unas cifras en sus bitácoras. En el cuenco
sobre
la mesa de trabajo, un puñado de dátiles que el novio toma
   inadvertidamente y mastica. Sobre el arca
al pie
de la cama de la novia hay un frutero en que contempla
una naranja. La puerta
se abrirá de golpe y la novia sentirá un vaho de mieles y grandes
   eslabones
prenderse
a sus entrañas y rezumar una lágrima acre por sus hollejos.

PATIO INTERIOR

Para Julián y para Tangui (Orbón)

Supo de los asirios
y vio a Jesús en las colinas de Cafarnaum (San Mateo 5:1).
Conoció las mayores vejaciones
por su respiración
criminosa
ante los Evangelios. Se comportó
curioso
ante la gracia
de rodillas por las mazmorras en Florencia
asomándose
a la dedicación de Cimabue. Calumniosamente
lo ataron a su peso
cercándolo de búhos y tiestos con vicarias
al trastornar
la inscripción de los obreros
burilando
la sanción profunda
                        (patio interior)
de sus faraones. En el jardín
un loro y su balcón
al plano
de La Habana: ha muerto
el escritor José Lezama Lima
cariñoso
y jadeando por el valle de Cedrón
se evade
ante Dios su dulcedumbre
revelando
como un pan de voces
al caer

en la canasta reflexiva
del salmo de David por Absalón
cuando Lezama
toma
por fin por nombre fijamente
un libro
sentándose a leer
bajo
los tamarindos.

REDOBLE POR WALLACE STEVENS

Ha vuelto a sus andanzas, entrada la noche, alta mar: la resaca, a veces, despliega
toda
su fuerza y él, en todo su estupor queda absorto ante una cifra con la que anduvo
fuchicando
unas horas y el número es una esfera llamativa, se acopla: una vez más se descorazona ante la sombra
que vierte
un objeto: se aferra al tazón de asas dobles o al mango de una sombrilla en el paragüero, la tabaquera
descartada
sobre el anaquel con su espuma de cintas y amores, tres
hojas
viejas de sicomoro, tres abejorros disecados, la albura insospechada de la ceniza
en las antenas
de la mariposa: se van (se van) sus velas sus astas, se alejan sus palos de mesana y la alta campana
de las arboladuras, revuelos
y nota: ya
dan las cinco de la madrugada en el reloj de pulsera (dan): muy pronto hará su entrada
en columnas
la dactilógrafa y muy pronto en columnas la cacatúa en su jaula y el desayuno de la mujer con el ropón
floreado.

NATURALEZA MUERTA DE FRANZ KAFKA

Le cupo amar los gorriones.
Porque era un hombre abundante y detestable quiso creerse oscuro
      como si fuera un habitante de la ciudad de Viena
      condenado a inspeccionar el mundo desde los
      ventanales que Stalin concibió en el Kremlin.
Pero soñaba también con los cañaverales.
Vio un día que lapidaron la imagen de San Juan de Patmos en los ojos
      rasgados del fuego.
Y se sintió circundado de palomas.
Vasto en exceso, conoció momentáneamente las desdichas de la
      ambigüedad.
Creyó verse asesinado entre los matorrales por los gendarmes.
Por su falta de clarividencia conoció el futuro.
En la piedra de los holocaustos comprendió su significado.
Dejaba demasiadas circunstancias por terminar.
Nadie compareció: llamaban a los fiscales en la piedad.
Lo empezaron a buscar por Praga o en la incesante garúa de Lima
pero sólo desenterraban el veredicto que dejó en las bibliotecas.
Nadie entre tantísimos documentos lo quiso consolar.

DISPOSICIÓN

El libro ha de quedar abierto permanentemente sobre la mesa de
    trabajo.
Y es más: queda estipulado que haya un guardián.
Ángel
o aquel miembro de la familia que no ignora nuestras tradiciones.
Uno u otro
de larguísimos cabellos rojos y la máscara del fauno y del adolescente.
Su solaz, quenas.
Pues ardua es la tarea de permanecer con la mirada puesta sobre
    las páginas
que animan al estoicismo, llegan
a confundirnos como si hubiera contrafuertes, interminables canteras,
    peldaños.
Bóvedas.
Dios de tu lado Dios tu fortín para que veas en la crisálida y los
    remolinos tu estampa de buey miedoso,
    abruptos
los colmenares.
Que se recojan las muchachas del santuario y que contengan la risa
    nerviosa durante la oración, pese
a las abluciones
y los ejercicios ígneos se les prohíba pasar la mano o rozar el libro
    con las vestiduras.

MONJE ENTRE ARCÁNGELES

Para Adolfo Castañón

Al bajar la cabeza, vio sus pies juntos con las medias de pura lana
blanca. Qué
reverencia sus pies sobre el suelo de madera en que imagina rebulle
    la carcoma, imagina
el tercer
aviso de la campanilla que convoca la hora nona: sus pies
abrirán
un leve arco como si hubiera un pórtico y darán
tres
pasos cortos al enfundarse en las viejas pantuflas de tela: alzará
la cabeza
y al ver la portezuela lateral de salida sentirá una leve animación
    de cuerdas y manecillas, pronto
saludará
a los monjes nimbados de cansancio al trasluz de una ventana: y tendrá
    que alejar
a toda prisa
aquel revuelo de hoces y espadas flamígeras que lo incitan a plantarse
    con las piernas abiertas en arco y la mano
    flamígera en la empuñadura
de una espada.

SAN FRANCISCO DE ASÍS

Da de comer, desde su propia inclinación, a toda clase de aves sigilosas,
    no hace mucho despavoridas.
Las reclama: acuden.
Recibe él mismo un alimento santo, inaceptable para los siglos venideros,
    en exceso ejemplar.
Dios le niega la vista, contraria a la meditación.
Desde sus ojos, ama las cosas del mundo: las muchachas en los fondos
    del estanque, los peces maravillados sobre la
    superficie del milagro de los mares, la propia
    escena devota de la crucifixión.
Y como un riachuelo ama la incorrupta concatenación de las flores en la
    fértil horizontalidad de la bienaventuranza.
Los lagartos reflejan al asno en la aparente divinidad de los rostros.
Si no: cómo habría de vivir un animal la congoja de su bestia adormecida.
Ama Francisco en su propio fundamento el sencillo engranaje sin
    destino de la noria.
Y lo ama más —se sabe— que a la piel de onagro, que al impoluto
    gobelino de los unicornios o al Evangelio
    demasiado obligatorio.
Pobre Francisco: en soledad de siena venera los bicharracos por encima
    del azote de una escala.

De
La garza sin sombras
(1985)

José
Kozer

«e hizo que en medio del horno
soplase como un viento de rocío»

(DANIEL 3:50)

PERIFERIA

Íbamos

de brote en brote y nos alimentamos de las excrecencias de la oruga,
    ovillos

y el filamento

de la seda fueron nuestra alimentación: tiernos retoños, piñones que
    se perdían en los bolsillos y el amarillo

más vetusto

de las ciudades, nos alimentaron. Correteábamos, ¿adónde? En las
    monturas y en el asiento trasero
    de las bicicletas que trajeron
    los ingleses

a mi país: un día

rebasamos los límites de la ciudad y el azoro nos detuvo en sus cinchas;
    vivíamos. Qué crocos gigantescos, qué

indoblegables

pajareras de hierro forjado con grandes portezuelas abiertas a la
    intemperie, eran

la habitación

del colibrí y la abeja que retozaban alrededor de la flor inmortal hecha
    de hierro forjado

y tules

transparentes cuyas nervaduras guiaban ahora nuestros pasos y nos
      mostraban las cuatro

encrucijadas

de una perpendicular al cielo: tan jóvenes y había una perpendicular
      al cielo. Escalamos, cuatro ascensos, cuatro

exudaciones

del tamarindo que nos distribuíamos como un quinto manjar de escalas
      que nos llevamos

a la boca. Qué

nos tocó aquel día que yo era todos mis compañeros de ejes y manubrio
      en las bicicletas: volvimos

con las solapas

asombradas y el cuello de las camisas enganchado a alas transparentes
      que se zafaban, nos zafamos

a la inmaterialidad

de las cuestas la inmaterialidad de los tranvías, regresamos: y la ciudad
      era la cabeza de un alfiler y vimos nuestras cabezuelas

oscilar de risa y risa oronda sobre la cabeza de un alfiler, nunca más
      pedaleamos. Y la ciudad nos relegó
      y aquel día entramos uno

por uno

en la ciudad después de descartar enseres y forjas, herramientas al
      borde de las cunetas: entramos

por la puerta

que ya habían trancado nuestras madres, mujeres a veces tan timoratas.
    Y la ciudad se hizo muy pequeña

y nosotros

crecimos grandes y desprovistos, nuestras madres riendo a la altura

de los muebles.

UN PAN INMORTAL

La dueña

de la noria besó la mula en los belfos, dejó correr el agua, la harina
    de cernir

su óvalo. No hubo

pan en toda la mañana y se quedó a la mesa besando la inasible forma
    de un pan, tres

formas

inasibles, una imperecedera dimensión la mesa. Qué la asustó de
    pronto que se puso

a declamar

en medio del campo como si hubiera un silencio de flores (brotar)
    de la cebada o la harina

y el agua

se empaparan en la cocción quebradiza de un pan viejo: un pan,
    incomestible. Ese pan

de hoz

que siega en la interminable dimensión siempre encima; debajo, un
    patíbulo de cristal: Dios, quién es la mujer
    que huele a lilas en la plenitud de abril

y tiene

unos labios sedientos de besar el belfo de las mulas. Sólo ella conoce
   el misterio de comer la aromática brizna
   de las yerbas, reconoce

en el cuévano

la forma nutritiva del vino la forma nutricia de la espiga en la canasta:
   tan sólo ella reconoce por su amor
   a los belfos la forma

quieta

de la noria en su esfuerzo, la mansedumbre de un lomo: y su boca se
   colma en un pan convexo, humedecido
   por el relente que del sol a la sombra
   que del sol a la sombra bajo los árboles

masca.

LA VISITA

Si

levantas la esterilla de esparto a la puerta de entrada

encontrarás

una caligrafía de hormigas descompuestas y los últimos tumbos
   del grillo o la cigarra. Y

si cruzas

el umbral de casa no verás otra cosa que la bata raída que cuelga
   de un clavo. Y

verás

en la yema de mis dedos manchas aún de polen, el aire

aún

que me rodea perceptible bullicio del lirio contra el lirio en la brisa:
   un ruido

de grosellas. Entra

y coloca el ramillete de capuchinas sobre el alféizar, no hay pomos
   ni búcaros

en casa. Sé

que regresas de un largo viaje con el blusón sucio por el estiércol
   de los establos

y sé

que peregrinaste en los pasmos de la madrugada a mirar el rocío sobre
   la escoria de una rosa. Es

por eso

que entras a abrazarme, en tus harapos; yo

te recibo

tocado por una prenda briosa, en mis harapos. Somos

dos servidores

aún y cada cual en el ojal de la solapa prendió un gajo de melisas

o espolvoreó

a sus pies un poco de canela o mostaza. Hablamos, nos hablamos
   en vela toda la noche

sobre

cuestiones de ortografía la penuria el adiestramiento

de la memoria.

APEGO DE LO NOSOTROS

Para Guadalupe

Di, di tú: para qué tantos amaneceres.

Qué año es, era.

Te previne: podría aparecer una pera de agua en el albaricoquero
    cargado de frutos, hacerse

escarlata

la savia del rosal; sonreías. Y ahora reímos, rompemos a reír a
    carcajadas, blusón

de lino, faja

sepia con un emblema geométrico, también te previne: y ves, un arpa
    en el peral del patio, ¿arpa? Tres años

que no llueve

y debajo del albaricoquero hiede a humedad: a gusaneras fortísimas
    que devoran cuanto cae, devorarían la propia lluvia

si cayera. Si

cayera, recordaríamos aquel tren de vida metódico que tanto nos
    gustaba: mojar

las galletas

de anís en el café retinto (yo te enseñé a decir, café retinto y carretero;
    sonreías): mojar. Qué seres

tranquilos. Y

50

toda tu admiración volcada en aquella frase que nos resumía: «es que
   sabemos administrarnos bien.» No digas

que no

te previne, había tantas señales: el varaseto que apareció roto
   inexplicablemente el peldaño que faltó

de pronto

a la escalera de coger los frutos ¿del peral, del albaricoquero? Cómo:
   yo lo supe, yo lo supe. Mira,

dormías

aún y me quedé de pronto (tan temprano) en la arista en altas celosías
   en la revuelta de un arco hacia

arriba, quizás

aún dormitas: dos lustros, o dos décadas, ¿pasaron? Qué hubo. Qué

del segundo

movimiento *andante sostenuto,* ¿recuerdas que por aquella época
      descubrimos los poemas del amado
      Sugawara No Michizane, amantísima?
      Amantísima, del arpa

desciendas, de

los instrumentos de cuerda desciendan tus dedos numerosísimos que
      me toquen al hombro, que me prevengan:
      la mesa, está servida. El plato de cerámica

granadina

con las galletas de anís y frente por frente los dos tazones de café tinto.
      Servida

la mesa

e imitábamos como si hubiera un mayordomo yo fui tu mayordomo y
    mayordoma («la mesa está servida, Señora»),
        ¿te acuerdas? Qué

miedo

le cogimos al plato cómo pudo resbalársete de la mano el plato el
    número siete la luz crecer de la luna al entrar
        por el enrejado de la ventana, irisar

bajo

la campana de cristal las flores del albaricoquero las flores del peral, flor
    de tul flor de cera toda esta habitación esta mesa

servida.

«Y hay un asolamiento cual
en la destrucción de las ciudades.»

(Isaías 1:7)

UNA RESURRECCIÓN

La ventisca de anoche dejó un muerto junto al zócalo del edificio
    municipal.

Tenía

los ojos muy abiertos, ceñidos por el lápiz negro: y en los ojos

sus dedos

se habían multiplicado aferrándose a las once nociones

maravilladas

del iris, a la pupila desprotegida en el espejo

de la pupila. Vimos

la forma tiznada de sus manos en la configuración del ojo

y comenzamos

a temer lo peor cuando vimos sus manos en el fondo de los ojos

aferrarse

a un pájaro desprotegido, mancillado de blanco: el emblemático
    pájaro, nupcial. Y

tanto

nos asustamos que hubimos de llamar la pala

mecánica

para que alzara aquel cuerpo vacío de hondonadas, restablecido

ya

a su precipicio sin manos, blanco en el hoyo ígneo de la pupila

cuya zarza en mitad del desierto azulenco ya no abrasa. Oímos llegar
un ruido de motores

y

cundió el alivio: qué bellos ademanes la pala mecánica al alzar aquel
bloque

gigantesco

de hielo que escaló por el oxígeno y en sus nuevas atmósferas
enrarecidas

se empezó

a derretir: aquella primavera resultó de un esplendor nunca visto y
entre las mieses del verano

encontrábamos

pulidos arándanos de azúcares estables que cabían como cifras en las
disquisiciones insondables

de nuestras pupilas.

«Los patos salvajes no buscan
reflejarse
ni las aguas anhelan recibir
su imagen.»

ZENRIN KUSHU

LUGAR

Barría el aire.

Y amaba las escobas.

Bárbaros instrumentos de la sombra.

Amaneció.

Inmaculado de la cabeza a los pies.

El sol

se filtra por la cortina de bambú.

Queda

en el suelo su contorno: levaduras,

cal diluida. Queda

en la pared su contorno: hollín.

La escoba

contra un mueble, transfigurada

la escoba.

KENDO

El maestro de esgrima pasó la madrugada en silencio.

Pie

derecho al frente; mano izquierda a la cintura, en jarra; la mano derecha
    asida a la empuñadura

de la espada. Alzó

vuelo la grulla; dejó su sombra en vilo sobre un pie,

a los pies

del maestro de esgrima: a sus pies el ciclamen postró sus floraciones.
    No se movió

el maestro

de esgrima en toda la noche: las briznas sin sosiego a la intemperie
    quedaron sujetas

a la espera. Las hormigas

dibujan con su rastro la sombra del maestro de esgrima que alza en vilo
    un pie, inclina

el torso.

ZAZEN

Desde una ventana en altos la lancha seguida por el martín pescador,
   avanza.

Las aguas, forjan el estero: las aguas forjan una península.

No desembocan.

En una habitación el pescador al alba se rasura delante de un pedazo
      cuarteado de espejo delante de la jarra sobre
      la palangana que extrajera de alguna rotura
      del agua.

De
El carillón de los muertos
(1987)

José
Kozer

«tápate el rostro para no ver el país»

(Ezequiel 12:6)

LEGADO

Diles

a las niñas una u otra no vayan a posar un pie en la habitación.

Entre, el notario.

Dé fe: tiene permiso para escriturar con palabras al pie de la letra o tergiversarlas.

Mi asunto es otro.

Cuestión de reyes o cítaras y el mar que arroja tumultuosos buhoneros porteadores descalzos ocupación

y mercancías.

Palabras: han de registrar todo objeto en su tamaño y confinamiento.

Si prestan un servicio

o si son alegría en el ojo vivo de las concubinas me es ajeno.

Esto, he hecho.

En los vientos del sábado y propietario de unas tijeras podadoras supe allanar los reinos de la incandescencia

y permutar

el pedregal en utopía y las formaciones en la roca calcárea por el afán indomitable de la transmigración.

Nada pude: creí.

En la palabra escrita y con el olfato puesto en los alcores creí que había
      llegado a poseer un instrumental
      que configuraba y rehacía, creí

que me alzaba

de la ignominia del cuerpo y las funciones naturales y su terminación.

Júzguese

si mi modo de ver las cosas no era ofensivo: pues verdaderamente es
      ofensa tanta laboriosidad.

Debí ser escueto.

En la elucubración de la minuciosidad: quise regir con unos pobres
      sustantivos los hechos

y su denominación.

Entre, señor notario: y selle mis palabras.

Salga

por la misma puerta por donde entró convoque a mis hijas y
      solemnemente pase a dar lectura un ítem
      otro ítem otro.

Son unas niñas

educadas en el conocimiento de ciertas canciones que compuso su
      padre a la ligera y ni Ud. ni yo podremos
      embaucarlas con jaculatorias ni el tono
      majestuoso de unos himnos.

Son unas niñas austeras: convóquelas y verá.

No le asombre mientras procede a la lectura que se distancien
      mayormente de esta palabrería y aparezcan
      como su padre, altaneras: la sombra de una
      flor en el ojal, guantes

de gala gris, harán

con mi yugo una cháchara feliz juran que en esta casa no se mentarán
        jamás mis cerdas ni mis putrefacciones,
        que vivirán

como ecuestres casadas.

FIGURA VOTIVA

De sus cabellos, la orquídea.

Verbena: la rosadelfa en agosto una flor de un malva espeso.

Aguanieves y escarcha: febrero, la flor

perdura.

Angiospermas, en sus manos.

Desde las raicillas trepan (septiembre) las umbelíferas hacia el heliotropo.

Y la mujer: de hinojos.

El justillo acrecienta las rectas de su torso.

Dilatación: la grana fruncida de su saya se desarruga.

A sus pies (el estupor de la avispa).

ESCORZO

En la muerte quedó consumida por el rocío.

Diminuta.

Contra el cristal de la ventana quedaba la fragancia de su muerte.

Unas fresas de invernadero sobre la mesa.

Otoño, en su plenitud.

Sus cabellos lacios dos llamaradas azabaches cubren sus pechos, se abren
    (abanico

cóncavo) a la cintura.

El vestido retiene un frescor a hinojos macerados, lluvia.

Hilván, sus piececitos.

Quizás aún perspira quizás mana aún de su corazón un agua tibia de
    infusiones que se preserva en algún cuenco
    irracional de porcelana.

Esta mujer, su geometría

diáfana exige que entren a recamarla regenerar el alabastro que reposa
    en sus manos inquietar algún lunar minúsculo
    de sangre en sus pómulos, blancura

feraz el rostro.

Dejarla, más en su carne (aún) su carne debajo de la pureza de alguna
    pastilla de jabón: gencianas.

Y el almidón, en su sudario de cretona.

EPITAFIO

Suplantó

el error de la insularidad con la variable opulencia del lenguaje.

Dos, tres palabras (hilván) la mano a la garganta.

Resonaron

sus bruces en la habitación: sílabas

y hormigas.

«el undécimo, de jacinto»

Apocalipsis 21:20

OFERTORIO

Yo soy el Lázaro que me duelen las postillas a fósforo, llagas blancas.

Meado.

En la época del año en que florecen los sanguiñuelos, se me horadó
    la carne: siempre estaba tranquilo (un gran misterio).
    La mosca (en senectud) me cagoteó las carnes
    (ábranse) flor de intemperies.

Brotes, de mostacilla (mis carnes).

De entre vendajes, cagoteada: y aún, no sé. Mejor antes, que estuve
    en Caná (de blanco). Vedme, bajo el pórtico: ella,
    de cinc; yo, de latón (sólo el gallo era carne).

¿Será verdad que hemos muerto?

El gallo, en la barda: y en Betania, el muerto aparatoso. Ella, con
    su nombre de macho (vino) lo tocó: está vivo; en lo
    crudo. Qué chiquitico (el de gafitas) las ha perdido;
    alfeñique, de cuello y corbata

yo. Hacendoso.

El memo del lugar, que era: Maestro, Ud. salió a pescar 5 x 5; yo me
    quedé, sobre el poyo (poyo poyete, para
    los bobos): Ud., con los suyos.

Colmado, de peces cárdenos.

Con sus hombres de barbas rubias (coronas) pies desnudos de tosca
    carne, bruscamente (ángeles subían) qué son qué
    era aquello (dan pena) los doce montaraces
    del lugar rendidos de luz, en sus asientos.

Fui llamado.

Sacio mi hambre con la cucharita de hojalata revolviendo un mantecado
    en el cuenco que me sirvieron: fe (fe) el ángel me
    hizo lelo para que me saciara una sola semilla de
    ajonjolí (paseara) los ojos por los cinco arcos que
    están (cuatro días) hace tiempo ante mi mirada.

No me acuerdo: estas pestes que excreto, amo.

Se me amonesta porque almuerzo la deyección del pez serrucho (ojo)
    de las platijas (fuente) honda de loza (cabrilleo)
    de escamas: el cordero se come la baba de los
    peces y yo huelo a la ubre de los corderos.

Vivo, estoy vivo (Santísimo) *thank you very much*.

Para servirte (lo que sea) de ahora en adelante: pide; yo proporciono.
    ¿Un heladito de mamey? ¿Un barquillo (tres bolas)
    mamey anón (tamarindo)? Pide: lo que Tú digas,
    ¿chocolatines? Señor, me has impresionado.

Con todos tus guindalejos.

De hebras oro piel ojos zarcos túnicas luengas (sandalias) de becerro:
    álzame; a tus tres capiteles: caiga la venda
    y de sus supuraciones álcese el serafín de
    cuello y corbata con la magnolia purísima
    (me ciega, me ciega) en el ojal de la solapa.

Qué Te entrego.

¿La lloviznita de la sonda que me van a poner para que dé (de mí) mis
    meados? Meaduras oxidadas de tantos años:
    digerir (frunce intestinal) ensuciar mis plastas
    en el viejo orinal de casa (dame) una cédula
    de salvación, rubricada por cada bosta de salvado
    hilillas de alfalfa (cagajón) de trigo sarraceno.

A tu salud.

Por tu sangre, pan; por tu vino (oblea): de tan complicada jerigonza,
   no salgo vivo: eh, prolonga el asunto (firma)
   aquí esta letra a 30/60/90 días; levántame.

A tu pagaré, me hinco.

Asoma: baja tú de la estaca, subo yo (vítores, aplausos) de mi semillero,
   ¿trato hecho? Devuélveme mis dientes (el atributo)
   mis carnes deslumbradas que eché de mí toda una
   vida (toma, el lirio).

El que pueda, se salve.

Doce trombas de ángeles (trombón) seis clarines seis cornetas doce
   trompas de caza: ¿suficientes? ¿Para (uno) uno
   a uno, tus muertos? El más endeble, ante dos
   pliegos de lumbre (blanca) hollada (ante) el libro
   abierto: con la zurda hago mis abluciones encima
   del papel con la derecha me limpio.

De
Carece de causa
(1988)

José Kozer

Silogismo

Mosheim escribió (en latín, en el original):
«La gloria, fuente de esfuerzo y dolor;
la oscuridad, fuente de dicha.»

¿Mosheim?

Mosheim es un hombre dichoso.

FIGURA PRIMOGÉNITA EN SU LUGAR

Mi padre es un telar de horma oscura (copa).

Baja de sus hilos el alba en la nevada mi padre desciende de sus hilos.

Nieve pómez fíjate en el rombo laminado de la nieve (aristas) su rostro.

El halo de nieve sobre la cabeza para su reconstrucción.

Las blancas puntadas fíjate hacen germinar en su coronilla una mata
    canosa de pelo.

De pómez (tonsurado) se arremolinan sus barbas azotadas en la nevisca
    se entrecruzan las hebras lentas descienden
    (reposan) sobre sus ropas talares,
    desenhebradas.

En su trono la aguja de coser al bies el hilo al ojo (sonríe) al conocer en
    los rombos de la nieve la pupila, desenhebrándose:
    confecciona su traje de marta todos los árboles
    se han nevado un tiro escueto confecciona para
    la resurrección (tronco, de abedul) pantalones
    blancos.

Capa de marta pantalones blancos pólipo la camisa.

Es rey: una de siete veces (rey) se acaba.

Las manchas de la carne del cuero cabelludo, pavesas.

¿Se habrá incendiado (copos) en el ojo último de los corpúsculos?

Árbol, a su inclinación.

Vacíalos, hembra de escaramuzas: su membrana vegetal da a luz cúpulas
        circunscritas de nieve natal en ciudades extrañas
        de minaretes cimientos de jacinto: el arco de las
        cúpulas se dobla al quebrarse hacia
        arriba arcángel hacia abajo, árbol.

El río de su pueblo lava las briznas en su lecho de muerte su figura pule
        los rombos destrozados de los guijarros:
        y tiene cada especie su sitio mineral,
        transmigra mi padre.

Briznas su barba rombos su pupila especie migratoria sus carnes.

Llegó: arriba la hez de la nevada mide un tropel de semillas (abre la
        boca) a su resurrección.

Se sienta, está ladeado: la silla ancha de alto respaldo recibe su figura
        izquierda el puño bajo el mentón.

Saca una horma (jaboncillo) (punzones) escucha el viento que amaina
        (amaina) en sus carnes las hebras tiemblan
        (todavía) cuerdas, las hebras: fíjate es laúd
        del trono a las pendientes del árbol a las
        pendientes lo llevan en andas (lugar, sin sitio)
        a su anverso poroso.

Está nevado el campo rey bajo solio en su silla de arce nuevo, resinas:
        transcurso de la piedra del crecimiento de
        la nieve es la blancura de mi padre David
        (tiza) puntadas laborioso hilván, arpa disuelta.

EXTERIOR

La turba de ángeles (eclipsa) en pleno invierno las ventanas.

Llamaron: las trompetas del ángel anuncian cúpulas trizan las aguas.

Escarcha, los campos: las Furias (a horcajadas) sobre el blanco alazán de
   las nieves fulguran en los cerros con sus
   amplias estolas (armiño) de lentejuelas.

Un golpe de clarín (estallarán) los cascos: rotos vidrios rota escarcha
   bosques despedazados en su centro.

Y la bestia, galopa: zumban los ángeles (chasquean) sus lenguas
   axiomáticas las tres rameras que abren el
   camino (instauradas): ángeles en los flancos
   de la bestia, chisporrotean (encumbrados)
   en las intactas escarchas del cielo.

Noche adentro la borrasca desbarató las aves más nocturnas detenidas
   en triángulo inverso contra los cielos
   (estrellas) inservibles.

Y no somos nosotros (no) somos aún nosotros, asomados: a la mesa de
   espaldas a las ventanas de casa oímos en el
   silencio estrepitoso de la noche el silencio
   de la noche (oíamos) desgajarse los bosques
   irrumpir las cabalgaduras (ángeles) (ángeles)
   tropel a los claros, del bosque: ejes de la
   noche, a los caminos. Inverso espejismo
   de las escalas celestes, galopan de anca en
   anca (crines) la cabellera ensortijada (gajos)
   de las rameras desprende (gajos) incendiados
   en la noche: constelaciones, confirman desde
   una ventana al abedul.

¿Asomarnos? Dos grandes ojivas (empañadas) las ventanas.

En su silla de alto respaldo al otro extremo de la mesa yo me reflejo en
    la Ramera: pronto oiré desde mi sitio (ojival)
    correr las sillas un cabrilleo de lámparas en
    mitad de la noche (incendios) las constelaciones:
    me acercaré a una ventana a mirar los campos
    (arrebolados) de blancura (estrépito) blanco el
    ángel de las constelaciones (cúpulas) de nieve,
    en alto.

Cabizbajas harán su entrada las rameras (Furias) a mis pies, en mis
    entrañas: desde sus taburetes se abrirán de
    piernas (yo) recogido, a su semejanza: vivas
    arañas estallarán (charcos) la brea (vivo)
    espectáculo la Ramera, a mis pies.

Vedla: rasga la tela que me ampara sus rojizas pudendas (madre)
    estatuida. Nos sentamos (todo, intacto) la lámpara
    de aceite en el centro de la mesa (reverbera) un
    leve trigo conyugal, a la boca: sobre el mantel
    (cayó la noche) (un cielo intempestivo vació
    sus simas, aureola de borrascas) conversamos:
    trío de cámara amplitud de unos instrumentos
    de cuerda entre los muslos una (escueta)
    tetera de arcilla, en la pared.

ECOS

Ciertos animales cuyos nombres desconozco vinieron a comer una vez
    de mi mano.

Eran de bronce o tal vez una aleación en etapas que sin yo comprenderlo
    terminaron en la carne.

En todo caso estaban hambrientos el olor de la comida los desesperaba
    aunque las frutas eran de ónix los líquidos herrumbrosos.

Me rasguñaron comprendo que de contrariedad en el hambre: cerré la
    verja de un golpe que sonó al eco metálico
    de los mayores instrumentos que puedan
    concebir el triángulo o la vihuela.

Desistí pues también se trataba de mi voz gangosa de todos los acoy del
    vecindario también de una cosa de alimentación
    que llaman féferes en el país con ello nombran
    a la caguama o por si tienen que dar de comer
    a sus caballerías dicen maloja.

Son palabras de las que aquellos animales comieron aquella vez
    traspasado el umbral situados de lleno en el jardín.

Puedo describir el jardín como broches gualda que zumban en el
    instante de mayor inmovilidad sometidos por
    cuatro vientos contrarios encima de algún cáliz.

Luego se marchan luego se oyen cerrar los postigos trancar los
    portones de las dos trojes en las afueras
    de la comarca se oye el instante preciso
    de la flauta vertical cuando rige.

Todo se detiene, Orfeo las hembras la arcilla en la propia figura de la
    cerámica: los animales de sólo una existencia, retroceden.

Sólo entonces oigo que se acaba de abrir una ventana reconozco a
	ciencia cierta la voz que de perfil me llama casi
	como si llamara mi nombre que contiene el
	nombre vaciado en bronce de unos animales
	corrientes que han desaparecido.

Me doy la vuelta pues creo haber estado de pie todo este tiempo, siento
	hambre.

Mi mujer que es rubia de pelo acaracolado cuyos frunces son escarola
	vaciada en amarillo, está desnuda: frente a ella
	con todo dispuesto sobre la mesa con precisión
	digna de encomio me atisbo con el suéter de
	lana azul prusia debajo del que visto una corbata
	siena de óvalos nudo doble que asemeja no sé si
	el cogollo de las huertas o lo que yace bajo la
	ciudad otra ciudad *Ich möchte rauchen* sin duda
	de pizarras recién llovidas debajo.

1983: FINAL

Ésta es mi mortalidad: una camisa de franela a cuadros el suéter de
    algodón verde claro los puños de ambas
    prendas de vestir, remangados.

Y es Nochebuena, en casa.

Vean, no soy una utopía huele a pernil la casa no me sobrecoge el
    profesional de guardia con la bata blanca no
    tengo una camisa incendiada de algodón rojo
    ni aparezco en chancletas al umbral: atril (las
    manos en el bolsillo) un incunable (abierto)
    al umbral no hay dos serafines de clarín (uno)
    trompa de caza (otro) encima los dos a ambos
    lados un arpa, el mediodía; Bartok, un frío lila
    en todo el territorio (arriba) rallan yuca hacen
    mojo fríen plátanos tamañudos callan casi
    (todas) en la cocina: o son aves piezas rápidas
    de vida quién las cobra (sonó el timbre) un
    barullo (señor) qué le debo por el picaflor
    en su polen la avispa ahíta en el espádice
    de una cala la mosca como joyel guardado
    (amarilla) en el himeneo de una rosa.

Centro, helado: el mundo, exterior.

Yo soy mi ave la hendija para mirar uvas de resurrección (higos)
    multiplicados al pie de una sombra: ése es el
    bosque de invierno con sus hongos cristalizados
    en toda la intemperie lila del mediodía; y hace sol
    (ámbar) decrépito en las ventanas de casa un hongo
    (lila) silencioso crece en el fondo inaudito del jardín
    despoblado, de casa: ahí, las niñas y Ella subida como
    siempre a la alta copa del sicomoro en la acera (ahí)

la veo (la mano) amaga la forma de la aldaba
(si quiere) (cuando quiera) tocará a rebato a trilla
de imperceptibles fuegos de algún verano quimérico
(pasado, o futuro) nadie nos mirará sino la
pequeñuela continua que nos alcanzó la uva.

La albricia, de aquel fondo.

Vihuelas (pequeños seres incorruptos, de lentitud) sacratísima hora, me
    encuentro: terso (de gafas) con la sombra de las
    cinco en el rostro pulgar e índice (mano izquierda)
    abiertos para apoyar todo el espacio gigantesco
    de esa cabeza (nariz caída: la edad) (orejotas)
    grandes entradas la frente, sutil tamaño (el
    pensamiento): feliz, del tocadiscos (Bartok)
    la cocina (las amistades, muy pronto llegarán)
    timbre dulcísimo el teléfono para desearnos
    una salud venidera una prosperidad venidera
    monedones redondos de salud y el suave
    escolasticismo de la inteligencia.

Qué buenos son.

Al son de las vihuelas, qué buenos son: y yo en mis trabas, espejos
    amarillos de la construcción (construyendo) de
    noche (el día) de día la aurora blanca del hongo
    quieto, en su invierno: música, todo francamente
    es musical en esta casa de suelos rojos libros de
    lomo azul vueltas negras de música, los tocadiscos:
    hay tres, casi tocan a uno por cabeza (las tres
    edades del mundo al unísono casi se suceden
    de golpe, en casa) la niña («En un bosque de la
    China») la adolescente (poco sé) la pareja a la
    escucha de unos villancicos de don Gregorio
    Paniagua, director («Mi gran blancura y tez /
    la tengo ya gastada») esto es amor (amor: mi
    mujer con un segundo grog en la boca del
    estómago) (soy yo, amor: este tercer golpe
    de coñac crucial para nosotros dos, nos
    encontramos): soy, gacela.

Vale, la pena: he escrito.

De todos nosotros, unos y otros (ustedes): maravillosos, de mortandad;
    las hebras, se deshacen: nada cambia. Punto: nada
    cambia. Es invierno, no somos viejos del todo,
    todavía; quizás, volvamos. Es una ciudad es un
    lugar cualquiera es un sitio moderno, del tiempo:
    pasará. Hemos llorado de la emoción un poco,
    lágrima utópica de escritor en nombre del paso
    de las estaciones del mundo exterior tan
    ramificado (difícil) mundo de años hielos y
    vomiteras finales (paso) al paso (paso) a los muertos
    (Navidad) de todos los bandos, resurrección.

Somos, felices.

Mis hijas a punto de despertar, muy temprano mi mujer semidormida
    pronto saltará de la cama se sobará las palmas de
    las manos que hace frío en su camisón de dormir
    sus primeros meados de un matutino violeta que yo
    beso: bebo, es tan limpio el himen imperfecto de
    mi muchacha que hurgué cuando aún era joven de
    postura erguida en mi número seis en mi número
    siete (ya viene) (va llegando, el milenio): me moriré,
    y Usted, toque a esta puerta brinde conmigo sin
    pieles ni ornamentos, la pura fiesta: yo lo sabía
    (no hay Muerte) (carece) sólo libros o reposición
    de palabras pequeños alimentos de sobrevivir o
    mucha quemazón que parece quemarnos (nos)
    lava (nos) escuece (mucho) nos purifica; es la verdad.

Del año, o la familia.

Hago la paz, mi ser con mi ser (este mediodía): hablemos por una vez,
    claramente; es una casa, es un año determinado
    por la cronología es una pluma activa que se
    mueve son ecos de todos los ecos de la historia
    es mi mujer leyendo un abultado periódico en el
    sofá de casa a sus pies la pequeña con el juguete

neutro de la época que vivimos y su suéter
francamente lila Hong Kong la mayor, está
ausente como si no lo estuviera: y sonarán los
timbres de la recogida que hay que dormir esta
noche (sudar) las variadas emociones del día a
la espera (a la espera) Señor de esta camisa de
novia que me pusieron encima sin saber quién
ni yo sabré en nombre de ellos en nombre de
nadie ni en el nombre Purísimo de la viola del
arco de la pregunta.

ODA, DE MI PAÍS

A la tarde a la quema incendiaron los cañaverales.

La novia salió al portal, absorta.

Pasaban las horas para que ella viera enriscarse los cielos como de oro
   blanco como del arcángel absorto en la cítara,
   enmudecido: y los penachos de guajana, rayan
   el cielo.

La mula, blanca: a lo lejos, inalterable.

En su letargo grandes mariposones de luz abrasan su mirada, absorta:
   masca las lilas en flor, su sombra inmóvil en las
   praderas; carmelita: sobre su albarda a horcajadas
   el arcángel; su cabellera, un enredijo de amapolas.

De sus semillas, luz.

Una luz, carmesí; surcos, del cielo: ha visto la novia. Y se acercan; del
   brazo contemplan la llanura incendiada los árboles
   cargados de frutas blancas allá al fondo: el mandil
   del arcángel tiene una mancha azul en su centro
   una mancha carmesí hacia el bajo vientre, el ajuar
   de la novia.

Esposados: los herreros del pueblo, los desvestirán.

Para lavarlos, fijar la señal: enmudecidos. En el mayor silencio,
   contemplan las fraguas; los herreros del pueblo
   con sus mandiles de caucho contemplan el
   incendio, en el mayor silencio: un oro blanco,
   para la dispersión.

Las manos, chamuscadas: en los bolsillos.

Arcángel, blanca novia: cuatro herreros sin rasurar, trigueños; de pie, en
el portal: apoyados, sobre grandes instrumentos
de escardar; abrirán, el trillo. Y la mula vendrá
toda de blanco a helar los campos de mi país,
vi la novia: me ha incendiado.

Yo, de azul: en mitad del incendio, con la estameña.

Descalzo, en mitad de los trópicos que se acerca la novia a la helada: sus
pies, escarchados. Quedamos, retenidos: se nos
acercan. Una corona de ceniza porta el arcángel,
sobre la mula: era hembra; lo ayudan a descender,
nos ayudaron a acercarnos.

Un vuelo rojo de túnicas, los cañaverales.

Dos nimbos de oro blanco a la altura del cielo, equidistantes: son mi
país; y se ven. Uno a la altura de la novia bajo el
portal entre las sacas llenas de cristal de nieve;
otro, mi lazo: me puse pantalón y corbata para
salir al campo de chistera y bastón a contemplar
los barbechos abonados de ceniza, rastrojo de
arcángeles; tierra, feliz.

La era: de su fondo, volvemos.

Un escozor de vida, el hoyo de la novia: de blanco, echada entre
cañaverales; abierta: entre sus muslos, quedó
intacta de los instrumentales de la quema; y
están ahora absortos los herreros mirándome
de blanco entre los pies de la novia con mis
dedos urdiendo su flora su lluvia.

LA EXTERIORIZACIÓN DE SUS SITIOS

En mi país que se llama Cuba hay un pez que se llama manjuarí.

Y los muertos de mi familia regresan sobre el lomo de las vacas regresan
    a su segundo lugar que es mi país a morirse de
    veras sobre el lomo manso del manatí.

Allá va y le apetece hoy mismo a una de las mujeres de mi familia: rauda
    tentada por un aroma casi carnívoro y casi todavía
    feraz, luego es la tierra: unas pencas sencillas unos
    chubascos que llevan de manera natural a la
    conversación casi en silencio entre los miembros
    de una familia: y luego las terrazas vivas o mueras
    sur es sur la primavera corresponde al lado oeste
    Cuba es una nación de breve norte invierno parco
    a la que vinieron mis familiares de su dispersión a
    la continuidad de su dispersión con bigas de
    caballos altos espejos blancos cuya figura
    familiar es el armiño.

En principio, la idea del aire la somera idea del movimiento por encima
    del acontecimiento elimina la torpe idea de una
    historia: esto, mis muertos lo confirman.

De una u otra enfermedad luego de los ciclos luego del cuerpo que roto
    en mi país dicen que cancanea, estos muertos
    no proliferan sino se ubican: en una isla en un
    determinado momento en que la tierra aireada
    por nuestra lombriz de tierra perfecta pues ella
    es perfecta recibe encaja el cuerpo de cualquiera
    de mis seres queridos sea quien sea o quien fue
    o será o seré: yo no presto importancia a la
    muerte pues amo la tierra colorada como
    amo la hoja de los vegueros la flor que en

mi país llaman guajana amo el carbón vegetal
que en el brasero calentó a mis antepasados
mis seres de aire migratorio.

Uno de mis familiares murió un veintisiete de marzo de mil novecientos
ochenta y seis es carbón vegetal guajana es
hoja de veguero: feraz, en su isla.

Por su alma una secuencia, si hay.

Esto es del tiempo esto es del transcurso pero las vegas suaves matizan
un poco la geografía visible con su flor de tabaco
o si ellos vienen o llegan de otro sitio geográfico
hablarán del pedrisco que golpea los techos a dos
aguas de las casas o el rombo cortante de la nieve
que golpea en el pedrisco el lomo de las yeguas.

Qué más da de dónde: la isla en su forma es una isla.

Nos vamos o regresamos no sabemos exactamente que es mucho todo
esto no hay para qué alterarse: la forma de una isla es
de configuración tautológica como el que dice aquí
nací aquí sobre el lomo de alguna palabra como yagua
manjuarí vengo del norte me disperso regreso a morir
con o sin norte pues poseo la prerrogativa del aire en
ausencia de cualquier otro tipo de movimiento.

A ella, conmemoro.

Vamos a abrir la mesa ella va a servir: quince deudos observamos de pie
una hogaza algo deteriorada de forma andrógina
sonoro pan a caramillos aroma a cinamomos.

De

De donde oscilan los seres
en sus proporciones

(1990)

José
Kozer

«Tampoco... sale de dentro si no se le recibe fuera.»

CHUANG TZU

ICONO

La luna permanece hasta entrada la tarde en el cielo sus esquirlas
   reflejan un pez de aguas blancas.

Un desorden de ejes, el espacio: la luna (debajo) el halcón en su círculo.

Qué nos cegó en la plenitud de invierno, qué mirábamos: a ras de la
   laguna la Parturienta separó astro de astro parábola
   de parábola, un asteroide blanco abarca el cielo.

Sus esquirlas nos reflejan: echado, el pez se desfigura incorporándose a
   la forma única de su constelación (detrás)
   (¿soy yo?) desaparezco.

Un lunar de sangre en el ojo visible del pez su ojo boca arriba respirando.

Desaparezco en mi padre que respira por la mariposa de luz bajo la luna
   revoloteando toda la tarde su respiración se acerca
   azul en la llama que la luna irradia a su centro (azul)
   (los ojos, de mi padre) impalpable.

Polilla se denomina ahora chapotea en la luz refleja de la luna (encima)
   el halcón contemplativo refleja en su mirada un
   desprendimiento de escamas (pez) los ojos
   de mi padre.

Reposición de sus barbas oscuras (teológicas) el bonete en la coronilla
   sus brazos (rotundos) sobre el pecho (vigila, la
   entrada) su ojo lepidóptero (ave de presa) me
   mira: yo me acerco en consideración de la
   altura beso la zurda frente de su espacio, de
   un tajo (me separa).

DE LAS ESPECIES

Cómo se llaman los pájaros en su orden interno.

Rey el fuego cíclico que los corona.

Degradación del fuego, los pájaros: reales, en el centro indoloro de la incandescencia.

Llamaradas, desprovistas: en su inercia el amarillo atrae lo amarillo se quiebra su aro de fuego (amarillean) los sauces.

Despliega el árbol su descenso de pájaros fustigan sus ramas la superficie del agua en las riberas.

Volátiles reflejos de la inercia.

Árbol y pájaros descienden en círculos concéntricos al fondo (diadema) de los lagos: fértil diadema de fuego.

Diadema fértil el ave en su orden (último) un jilguero.

DE LO EXTERIOR

El rostro volví a la derecha las extensiones, plateadas.

La biga de caballos, pasta.

El rostro volví a su punto a un venado inicial con la cabeza enhiesta
hacia una estrella: un fondo blanco, la planicie.

Bajo la cabeza sé que a la revuelta del camino hay un pinar ralo entre
cuyos troncos los insectos circundan setas blancas.

Y sé que estos caminos llevan a un instrumento musical que yace
astillado (derramándose) entre los musgos.

Mas no he de alzar la cabeza no he de volver el rostro a uno u otro lado.

Estoy enfermo de masticar ropas verdes estas ropas ajadas (cóncavas)
sin muda: un verde mate sobre un verde esmeralda
el pájaro convexo ya ciñó su ocaso.

Noche, cerrada: en el libro abierto sobre la mesa dormitan las hormigas
alrededor de la lámpara con el nimbo amarillo sin
ecos una mariposa de luz, revoloteó: la puerta que
entreabrieron el golpe de las botas al limpiarse la
nieve de los caminos en la estera a la entrada de
casa (todo) viene de afuera.

Las planicies son extensas los caballos derramaron sus sombras
(galoparon) en la extensión (se recogieron)
a la entrada de casa.

Apago: tanteo la gran mesa pulida de pino blanco en cuya extensión hay
circunscrito un frasco translúcido un vaso con agua
tibia de cebada (un boceto de sombras) el cupo
de una mano circunscrita a su espacio.

De

Prójimos. Intimates

(1990)

José Kozer

IN MEMORIAM

En los meridianos en los cuadrantes (miden) yo no lo entiendo (eso está
    arriba): renco, es la izquierda la que flojea (ya)
    paso o mato el tiempo sentado (buenas son las
    tardes alba y atardecer, una bendición: de arriba)
    tiene su dueño aquella hilacha que yo descarto
    tiene su origen aquel palillo de dientes que parto
    por el medio (crujen) los bosques: transeúntes
    (y cosas) a vuestro oficio. Seguid.

Yo, roto, por papá (no lo cito) (ni su fecha ni su acta ni su sitio ni su
    ulterior) palabras: viejo, gózala (¿hay gozo?).
    Y cómo es eso.

No hablará. Y dice el documento: a veinte de los corrientes mes julio
    mal año 88 fallece el doble (otro) de mi padre
    (todo un pedazo) transeúntes: regresé a mi
    casa me doblegó la incredulidad de los hechos
    (tic) y todo aquello (tac) que lo corrobora, no
    habla: y por él mi madre se sentará en un taburete
    ocho días y por él yo leo un año de 365 días todos
    los días un salmo de los salterios de Aquel Rey y
    de Proverbios y hasta donde dé la palabra, ese
    vicio: por él por él Adonai.

Ahora es Erudito.

El muerto está calvo está entalcado tiene guedejas calvas carnes calvas
    (tiene) de la cintura a los pies, llagas (calvas):
    la Bendición, ¿Señor?

Tú originas la manzana yo la como Tú originas en el espacio la forma
    vacía de la uva la (vacía) conformación del
    grano de trigo en conformidad por Ti,
    nosotros (si Tú lo dices): habla.

Y no habla: tampoco (tú).

Hoja, la muerte de mi padre (entalcado) y revestido con aureola y ala y
    mugre donde no vemos: cuál es la situación del
    cuervo a la caída de la tarde cuando se posa
    (doble) el llamado del Cuervo hasta una cierta
    distancia llamando Compañía se posó en el árbol:
    se cae y descansa, plácido. Y el propio árbol: y los
    dos rododendros equidistantes del jardín los
    rododendros de flor malva equidistante el arce la
    yerba quemada del jardín (adelante) la calle: calle.

Por Dios, habla (pedazo).

Pasa por la acera bamboleándose alta una mujer oscura de lentejuelas
    y estampados floretones sobre fondo ocre el
    carmesí y el morado de las contusiones: y de
    su brazo enchaquetado (terciopelo) (verde) el
    negro de camisa blanca pantalón dril medio calvo
    (riendo) en la tonsura (riendo) los dientes albos
    (riendo) él y ella de carnestolendas (comestibles,
    los dos) se subsanan se originan se centuplican
    (¿en demasía?) la palabra no me corresponde
    corre por fin una brisa a la tarde corre por fin
    al cierre su morado, el crepúsculo (cayó).

Y mi padre (ahora) es negro es albo es (destrozo) abajo los descosidos
    los huecos de la polilla en la tela primero muere él
    luego muere la carne luego el hoyo en la tela
    (yarmuka) (taled) el Hijo por el orificio de su
    lugar común la pudenda: mueres.

Y acaba.

Su silencio descorcho su silencio aumento lo masco y lo fumo a raíz del
    día veinte del mes julio del año 88 no contemplo
    (río) no medito (masco) la Cena por él sin
    contemplaciones como bebo vivo y masco una
    carne unas pastas (aire aire) unos ojos del alfiler
    para entrar a Su Reino (entró) qué risa (entró)

tenemos al Cordero patas arriba en la mesa un
vaso blanco de vino delante del plato la carne
yace (asada) sobre unas yerbas sobre unas
grandes hojas una a una recién lavadas por él
por él (incomestibles).

De

una índole

(1993)

José
Kozer

AUTORRETRATO

Para mí es una época de vacas gordas.

Mi mamá me ama amo a mi mamá.

Buenos ingresos primavera a la mano unas vacaciones.

Los próximos cuatro cinco años, invariables.

Incluso, mejores: un cinco un seis por ciento más de entradas reforzar
      más en mí el organismo sentimental, punto
      neutro el organismo.

Un momento, ideal: intermedio. Tengo lo que tengo, y más. Un poco
      ajadas las camisas no obstante, me desentiendo:
      un poco de veras escaso de pantalones mecánicos
      los únicos que uso: tampoco es final (ni lo será
      todavía) esta instancia.

Un buen momento, sin duda: soy un ser hipotético. Incluso, cambié
      hace poco el estilo hipotético de mi modo de
      vestir: el pelo algo más alborotado aunque ralo
      medias gruesas (oscuras) en pleno verano
      camiseta verde naranja azul (desteñida) bajo
      la camisa (siempre) de mangas largas (azul
      oscuro oblicuo azul el ave celeste estampada
      a mi espalda): muy resecas las manos.

Debo aprovechar en sus líneas generales este momento (consolidar)
      tomando del común denominador de la época
      las decisiones más comunes, vista al futuro: no
      hay descripción posible ni viceversa de esta
      figura en su simplificación de figura (¿adyacente?):
      un primer hundimiento del abdomen (papada)

un halo de moho imperceptible, en la mirada:
yo sigo (es el momento) con el plan trazado la
actividad de mi campo visual (en todo momento)
luego y empírica.

HÖLDERLIN

Permanece un largo período de tiempo mirándose los pies calzados con
unas medias gruesas de algodón verde olivo.

Al pie del castaño interminable en el banco de madera sin barnizar con
sus nudos recientes.

Su traje de pana verde lo protegerá de la inclemencia del tiempo los
ventisqueros el agua congelada del lago la sal
cristalizada en las anfractuosidades de las
montañas, su origen vertical.

Una mano permanece hundida en el bolsillo interior del saco la otra
sigue absorta en la tela negra a rayas carmelitas de la camisa.

Sus ojos zarcos saben que sus tirantes tienen el color amarillo de aquel
punto ámbar bajo el árbol.

Junio: día o mediodía o atardecer cúspides abras o penínsulas sólo teme
aquella materia blanca de la abeja Reina
fabricando su nido intemporal en su centro.

Traerá las nieves las grandes heladas horizontales sin confín el blanco
estallido de la podredumbre.

La túnica blanca. El ojo imparcial el ojo sin participación de la retina.
Las avalanchas, reducto blanco de los
primeros animales en la altura.

¿O ángeles, blancas catástrofes de luz? Está tranquilo, en su extremo
tranquilo: de pie, se abraza al árbol.

Se abraza a lo verde del árbol a su maraña genital a la lumbre olorosa
en los órganos reproductores de las reses: y más
abajo del fondo de la tierra, lo habrán oído.

Vinieron a buscarlo por la puerta central del edificio blanco de las
ventanas incontables marcos verdes marcos recién
pintados de verde, aguarda: todos sabrán por su
silencio que él no llamó llamaron desde las cúspides
las ventoleras llamaban desde aquel hielo amarillo
en los cimientos.

SEMEJANZA

Conservo su noción aquello se asemeja a un estado de ánimo.

Yo, escribía: atónito, y todo lo descarnado se incendiaba: chiribitas
    esquirlas ascuas; en verdad, la propia sal su propio
    cauterio daban paso a aquel otro compuesto de
    superposiciones, mis palabras.

Una, otra, almizcle: nunca escribí pantera ni conozco por ende su
    dimensión. Yo estaba hecho de otras cosas: por
    el anverso una especie de lustroso nimbo
    recorriéndome las carnes por debajo aquel
    correspondiente forro de las denominaciones.

Agazapadas, surgían (insaciables) a la zaga de mis entramados:
    demasiado copiosos.

Ya no: aquello es el rabo de un cometa que engancharan a la cabeza de
    mis horas postreras: y por qué no; me acerco en
    verdad a la suprema actividad hecha toda de una
    atención a eso que se escarba unos momentos
    cuando se ven caer los anillos externos de las
    constelaciones los últimos tegumentos al
    orificio de la semilla.

Iba yo a mi reverso acudían las palabras. Y luego me retenía en un sitio
    aún oía aún la respiración me llegaba a los oídos
    un poco alterada: la mano caída sobre el muslo o
    los dedos rozando las letras de algún renglón.

Entornaba la vista a la vez me deslizaba intacto de un vano a otro
    palpando el espacio delante de la vista, deslumbrado:
    y en dirección contraria mellando a veces mi rostro
    a veces chamuscándome las carnes veía ascender una
    herrumbre o brasa (atrás) las palabras se recomponían,
    de nuevo alborotaban.

Ya no: todo espacio posible lo ocupa el domingo encuadrado por la luz
    de una ventana que arroja dos cuadriláteros de
    tamaño simétrico sobre el suelo aparecen separados
    por la sombra del mainel: encima, el borboteo de la
    luz es una araña (teje) debajo, el borboteo de la luz
    es una araña (teje).

De
Trazas del lirondo
(1993)

José
Kozer

AUTORRETRATO

Receptáculo y rendija, camaleón, cambiacasacas, y (soy) otro (míralo por
   la cuarteadura de la vasija) un cuarto de hora.

Esta misma tarde, para no ir más lejos, fui Hawthorne traducido por mí
   (yo) cinco páginas suyas, se arremolinaron
   nieves: por su fulgor me deslicé y di (de mí)
   otro cuarto de hora revolcado en el tedio
   de una carta (soy) de Kafka: bigas y trigas
   y cuadrigas me guían a Oriente a la zaga
   de autor único unánime, todo crece (yo)
   amaino.

Este ser bazofia, se me descuajeringa en cuarenta rombos al día, cito:
   Kafka Tolstoi Chuang Tzu; de una pieza Musil
   un lastre Vallejo un arrastre Pablo Neruda
   bicéfalo Rilke (París) (Moscú) soy Safo soy
   Ajmatova y al filo de la una (me desvelé) soy
   el vivo retrato (bicéfalo) de mis (dos) padres:
   San Juan; Wittgenstein (sólo cuando está en
   Noruega); ¿OK?

¿Y yo? Filfa. Lastre. Arrastre. Bazofia (repito). Higa reseca. Múcura
   resquebrajada. Plutón entollado a Proserpina.
   Y demás bajezas.

Quiero mango, decía yo de niño, y me traía mi madre de los conucos del
   país, filipinos del Caney, aquello sí fue coger
   los mangos, bajitos.

Y nos casamos, por ahí habrá empezado todo: santoral al dorso, por
   ende, me llamo; y me llamo onomástico
   (sucedáneo); me llamo, por igual, substantivo;
   y Espinoza: rumio regüeldo ventoseo imito

(me imito) copio (me copio) de espejismo (en)
espejismo, omnívoro: ya comí del rostro de los
demás ya defequé de sus residuos, este (otro)
residuo.

AUTORRETRATO

El asterisco en la frente no es del todo visible.

Encima se llenó el roble de musgos, maná.

Se lleva a la boca negras esporas (translúcidas) fueron.

Crece el movimiento de la araña en la frente su tela, inmutable.

El brazo alza seca la frente se ciñe la vestidura de unas barbas esporas lo
    revisten, helechos: (adentro) el asterisco de la
    tetilla ocupa la sístole primera, absorto.

Entrecierra (vegetal) la mirada: celdillas o formación de aves (chiribitas)
    o la flor única en su multiplicación, reposa.

Aquí, el reino: ojos de cierva manos vegetales fulgor metálico el
    estallido. Un orden. Una pereza ligerísima (absorto):
    ese aspecto primero de inmutabilidad no se sostiene
    (gira) la yema de unos dedos toca sus hombros; lo
    abalanzan: se pasa la mano izquierda por la frente
    sudorosa su figura empañada, reaparece.

Rompe a reír cuánto tiempo hace que la risa (matriz, desordenada) no
    irrumpe: descalzo unos pantalones rojos de felpa
    la camiseta verde desteñida la sudadera roja, una
    corbata: y se lleva la mano a la frente se roza con
    la yema de los dedos la comisura de los labios.

No entró. Ésta es su indumentaria. Estos retazos sobre el lecho alguna
    página suelta el artificio verde de unos
    espejuelos (ascua verde las letras) irrumpen,
    configuran el hecho (único) de sus ropas.

PULVERIZACIONES

El eco de mi persona revierte en círculos concéntricos, de merma: la
   persona estipulante mira por la ventana y sigue
   con vista propia y definitiva el círculo ampliarse
   de su eco: desmenuzarse. Cae una ternilla, un
   ábaco, dos letras maromeras sin eslabón posible
   ni sílaba cualquiera; caen (vestigios) del ser
   temprano y medianero que fuera, y queda, en
   orden ascendente: rótula. Vergajo. Pergamino.
   Pieza estentórea, pieza tartaja, y me veo (allá
   afuera) (y aquí, en el vidrio enmohecido de la
   ventana) gaguear mis azules regüeldos, sobre
   la Llana: ay la Llana. Apenas retumba, apenas
   su eco tiene eco; y apenas yo revierto de la
   figura del vidrio a ese eslabón de carne, a mi
   espalda. Emulo el espacio, no hay nada. Fluctúo,
   mas es pura imaginación de la persona estipulante
   que soy soy soy, a base de mucha carne, mucha
   enjundia, mucho dale que dale y dale que te pego,
   así cualquiera: se logra un espesor, una adecuación
   de nuestra ordinaria naturaleza a todo lo que a sí
   misma convenga; que hay que ser pez, pez pez; que
   hay que estarse quieto, quieto quieto; que diga él,
   yo acato acato: reboto (eco) y recaigo en la cosa esa
   azul sobre la terrestre, interminable Llana, y me
   conformo con (ser) su eco. Fuera, la persona. Toda.
   Inmersa. Externa. Provocada y, en efecto, prefacio,
   y de pronto ya dispuesta, colofón. A lo sumo,
   acoplada, a su eco. Cópula del eco y de la persona.
   Y a sus resultas, este medio cacho de espacio que
   aún me queda. ¿No es mucho? A qué me pide
   entonces que lo reivindique, por favor, no me
   trate con palabras mayores, son un desastre: ya
   sobran sílabas hace rato. Hace un buen rato que la

cosa existente, cuando aparece, se desmenuza:
somnolencia, los excesos (por supuesto) (todo
se paga) (y al fin y al cabo, *it catches up*) (*up*)
(*up*) y el desastre: resbalón de la tinta, roja
magulladura en la tela del pantalón, a la altura
de la rodilla, visible pez negra la muerte. Quieto
la sigo, acato la llamada del Pez, me salgo del
banco bien nutrido que corresponde a la época
que vivo, mi gente, entro por un desvío: y cierto
que era un boquete, y cierto que era angosta
la puerta, y cierto por supuesto que Blake y
Bunyan, etc. Era muy cierto que no había nada.
Y sigo dando vueltas y vueltas, miro y remiro
cazarse la culebra en el aire, la aguja de la torre
reverberó, llenó los espacios: un pájaro tras sí
mismo, pájaro; un pez volador tras sí mismo,
volador el pez; y el dos vivo a un extremo de
la ecuación, un dos vivo al otro extremo: por
qué no rompo el vidrio. Y por qué no giro
sobre los talones de estas chancletas y me voy
de bruces sobre la figura (llana y sincera) a mis
espaldas; qué espera. Por qué no otorga y llama.
Además, zas, que la conozco: mandona, de una
sola pieza, y de un aire. Reina carnal, y por núbil,
todopoderosa. Mas eco depauperado (ella lo
sabe) de cosas mayores; una miríada de cosas,
Muerte, hay por encima de ti: eco, eres, de la
infinita persona sin omóplato, luz, contorno,
barriga o buey, sin fetidez. Dios, lo mayor. A que
así es. Y soy, antes de darme vuelta eco disminuido
a la altura de la canilla, rótula, ingle, y claro está,
de derecha a izquierda y de izquierda a derecha
(rápido) las tetillas: viven, lo que viven; y son por
consiguiente cuanto por consiguiente son. Y yo,
estipulado, persona o eco o cosa aún más rebajada,
con sus años (muchos) sus pelos (salidos) de la nariz
afilada y caída, sus pantalones anchos que sostiene
a base de un par (viejo) de tirantes grises: tira tira,
que ya cae. Y cae de la frente al ojo a la garganta,
derecho al ombligo (apuntó) a su dispersión (ya)
cae: émulo de muerte, hijo bastardo de Dios;
pieza indirecta: eco, trunco.

FINAL

El lugar, nevado.

Sólo un ave, suspendida (lámpara) no sé cómo se llama: ah yo no sé
cómo se llama.

Bajé la vista, descalzo: yo no estoy aterido.

En lo alto, en la cima depauperada, en la media postura del loto me
senté ante un barranco sobre la nieve,
desnudo: mis posaderas al aire.

Esa desfachatez es la desfachatez de la muerte.

Estaba yo a aquella altura en aquel lugar lleno de cicatrices (en verdad
hecho una cicatriz) regordete: todo el sistema
circulatorio, cuerpo y alma, dispuestos: campánulas
asteriscos bóvedas *a good bower of green branches,*
I thought, resecas.

Lindo mira el ojo, hacia abajo: y qué. Yo qué sé. A qué preguntas.

Un orificio. Una aureola. Tal vez la madre que te toma como a una novia
los cinco dedos de la mano izquierda, en su derecha
(contiguos): de darse el juicio se hará justicia.

Dos platillos, un fiel: y la blanca misericordia.

De

a Caná

(1995)

José Kozer

SIC TRANSIT

El moribundo cae y rechaza la caída, respira hacia arriba y saca a flote
    las manos, los pulmones eleva, su plegaria
    el estertor de unas fosas nasales.

Ya se verá. ¿Era suya la caída? ¿Y esos pulmones, de voz sánscrita,
    turbio añejo? ¿Qué verbos compone su fosa
    nasal de hebrea carraspera? Ve aparecer su
    figura refleja en la superficie ahogada del agua,
    un titubeo solar su figura, indecisión lacustre.

¿Es hora de atrición? ¿Cómo a dos manos sostener el libro y con la yema
    del índice leer (leer) representándose la estela
    oculta de la atrición, luz enceguecedora? Está
    mortecina sobre las aguas, ¿llegará su destello?

Manotea, chapoteos de serafines (quizás): acaso, rúbricas
    incandescentes, la sólida efusión del cuerpo tras
    el estertor de una última transparencia: fabrica
    la quimera; se reconstituye médula intocable, y
    oye de sí el arrullo moribundo, verso cuajado.

Un verso vegetal que brota de la porosa piedra fraguada para el descanso:
    liana; víbora contrita; cuadrúpedo lento a
    punto de recuperar su figura verdadera, ese
    compuesto de sustancias vuelto filo, tranquilo
    resplandor: no murió. ¿No murió? Sábado,
    sábado, sábado roto a la blancura. Día sábado,
    día de la reconstrucción.

Tiene duodeno yeyuno, tiene el alma sólo íleon a un paso: verificable. Y
    por la escala al séptimo (denominado) cielo, ¿qué
    albricia, Moribundo? ¿Será una puerta abierta a las
    respiraciones, por las respiraciones otra puerta
    abierta a la llamarada?

PERIPLO

La racha canta la racha canta el huracanado viento en los batientes de la
    ventana: el golpe es verde, verde y cruje la corteza
    del árbol del jardín, crujen las dos blancas mecedoras
    junto al aljibe llenándose, el agua del viento
    huracanado es impensable: miro la racha, abro la
    boca, el libro abierto al pie del lecho muestra la
    llaga de mi índice, de verso en verso (al paso): la
    aridez de las letras me reseca las pupilas,
    esquilma del cuerpo la risa, letra atronadora todo
    lo posee y rebate, quiero caminar detrás del buey,
    oliendo, escuchando, secarme el sudor de yagua
    en la frente, llegar al pie de la heredad, sentarme
    sobre el poyo, mirar a las que trillan al vuelo de
    sus desleídas faldas, me basta y sobra una situación
    (contemplativa) por ejemplo, ésa: y si me atengo
    encontraré mi compostura; el hecho de la felicidad.
    Pega el viento, las lechuzas aguardan recogidas en
    sabiduría, ululan las cuervas cosas que no hacen
    en sus nidos, en los trillos a duras penas ululan
    avanzando, los escarabajos: el libro al pie de la
    cama me lleva del brazo al lecho de muerte del
    poeta de veinticinco años a quien Severn
    intenta consolar leyéndole literatura edificante,
    y el poeta se desconsuela: ¿yo, morir yo? ¿Y por
    qué yo cuando hay tantos cabrones en el mundo?
    La racha, y se apagó. Me levanto, de un golpe
    tranco libro y literatura, flaqueo y me tumbo de
    brazos abiertos un buen rato a mendigar soltura
    (olvido) y soltura entre las rachas de un viento
    huracanado golpeando los batientes de una ventana:
    adónde. En verdad, adónde. Eso es lo que mendigo:
    una ventana al alto silencio del vuelo del azor rumbo
    al valle, planea y desciende, todas las miradas,

contemplan: es de contemplación el punto único
de cuatro afluentes desembocando, desembocando,
aura y silencio, se posó el azor (hierático) (pétrea
quietud del ave digiriendo) sobre el lomo del buey,
yo me detuve: ya todo lo sobrellevo. Me detuve a
tres pasos, del sieso abierto del animal brota un
rumor, y sonrío: con la mirada repaso la inerte
postura del azor, y me recojo; alzo la vista y doy
tres pasos a un lado y otro, levanto el brazo y con
el índice trazo en el aire un espacio delimitado,
libro y lecho y un ulular del viento recapacitando,
recapacitando su primer sentido de la brisa, su
sentido primero de aire: llovizna, huelo mar
(adónde) (adónde) en las arrugas del rostro el
salitre (¿habrá cosecha en el ojo lateral de los
peces?) la yema del dedo que me paso por el
rostro huele a calostro: es aquí; éste es el punto
de concentración en la grisácea atmósfera
sobrecargada, una pupila, y en la pupila una
guardarraya, por la guardarraya un istmo,
a tres pasos ya está el laúd, el canto llano
de la brisa: y por la brisa ataviada mi madre
de tul y arras a Caná.

De

et mutabile

(1995)

José
Kozer

EL ÁRBOL DE LA VIDA

En las Antillas Mayores se asomó a escuchar el vuelo de una tojosa.

El vuelo forjó la forma de una Isla de las Antillas Mayores: ya está la Isla
    con los ciclones las guásimas la lengua materna
    acabó por fin de nombrar aquellas cosas en el
    fondo insondables.

Cómo explicar de otra manera que al cerrar a cal y canto la ventana se
    transportara de la penumbra a una luz sin huellas
    la nevada cubriendo en toda su extensión el
    territorio nacional, dejen sola a la cuerva en medio
    de la borrasca, la luz teje violeta una fruta por
    dentro al pie de la cuerva (hinchada), el hambre
    sólo el hambre la inclina a desollar a ambos lados
    de su sombra una alimaña.

DE LOS NOMBRES

Qué nombre le va a poner, o Juana, o Fernandina, o la dejamos quieta: ¿y
    tiene o tendrá pareja?

Se afinca a sus arrecifes, mas si suelta un pie, la Isla vuela a su garza y
    de la garza a su aura tiñosa y de su aura, torcaza:
    y ahora se dio vuelta a Oriente, a su nacimiento,
    y con Ella por Maisí regresamos a nuestro sitio:
    mango, semillón, y el centeno averiado por el
    cornezuelo, *ergot, ergot, Gott in Himmel*, la
    pajarera herrumbrosa en la habitación
    trastera se abre a su vacío de tomeguines,
    nos cayó gorgojo, alza el rostro y verás la
    ceiba del patio infestada de totíes: pobre
    pobre pájaro bienhechor, culpable de la
    culpa inmemorial de haber nacido, la Isla.

Sujeta a una flora y fauna expectorantes, fuera y fuera, solavayan,
    váyanse ya, a otra cosa, mariposa, somos tres
    sobran dos, y quien queda (apaga y vamos)
    aguarda su Anunciación, murió marzo, murió
    el día 25, a respirar todos parejo en nombre
    de la isla asmática, cogerla por el cuello,
    arrojarla al Mar: varada Isla, isla defenestrada,
    el manatí lame la costra de tus orillas por
    Maisí, volveremos: a tu bautismo, Cuba; tres
    narras tres polacos tres niches tres cubiches
    a la Mesa, y el Redentor en su centro irradiará
    silencio, ausencia de palabras, buena señal
    para esta gente cotorrera, subuso y calla,
    calla lengua, y volveremos.

Quitando a dos o tres, y bien sabemos quiénes, todos los héroes (solavaya)
    de esta Patria son unos hígados: del marabú,

descendientes; de picudas hablas heredadas de sus
fornicadores padres, mejor se atuvieran todos a
guapear menos, guachinear más, y sentarse en el
muro de espaldas a la ciudad a fumar a solas: un
poco de soledad, caballeros, hace falta. Falta que
hace, verracos: abran paso; por un desfiladero
llegará volando, pajarito parejero, el zunzún.

Ola y ola, aguas lustrales, salió el sol. Yo me llamo José, fumo bebo
tiemplo escribo no me meto con nadie, es ideal:
y por rieles empíreos oigo el tres de una guitarra,
por su esfera vuelvo a la cúpula de una casa de
mampostería, observatorio y lucerna (oriundo
paraíso de rascabucheadores) soy pequeño. No
hubo nada, nada pasó, fue todo un error pequeño
de la percepción de quien vive, quien anda, se
traspapela y ofusca, elucubra que si la acción
del tiempo que el diablo son las cosas o que
por si las moscas, vaya vaya, tanta cosa: soy
Juan soy híbrido, estoy a un paso de toda
historia, y viceversa en su espejo de aguas me
leo (manatí) releo la Isla, su verdadero nombre
es Yagua (Balboa, cómo se llama) yara yarey,
pongámosle de una vez por todas Aglaye,
Alecto o qué por falta de mejor palabra.

DON

Un hombre es una isla, camina a paso tendido por sus propios islotes,
  guano. Refiérelo al aire y desciende a su Anunciación.
  En el Verbo tergiversa a la primera persona. Ya se le
  ve, es él, lo ejemplifica yo, ya se asusta: canguelo,
  calambrica. No es un hombre una isla cualquiera,
  Cuba: es una isla rodeada de agua por todas partes
  menos por una: viejos eran ya los chistes del Viejo
  antes de ser viejo, se fue a bolina. Habló una vez
  en voz alta, le daba el agua hasta los hombros,
  alzando el ceño me mostró el horizonte, y dijo
  Euménides, destino del Atrida, voz contundente:
  ahí estaremos. Anoche soñé con un pueblo de
  calles sin asfaltar en algún sitio embarrado de
  Polonia, giraba un carricoche hacia una bocacalle,
  de perfil me vi (soy mi padre) (y ahora soy padre
  de mí mismo) no me esperaba Egisto, el rey de la
  isla de Pilos no atendió a mis preguntas, saca al
  polaco, es otro mar, otro malestar, hubo asimismo
  alegrías numerosas, terrazas, enea, crujidos,
  somnolencia vivificadora, un gran silencio repentino
  tras las persianas: Onán Onán, soy muchacho. Obra
  la isla en mí, es perpetua. Cetro es la isla, al tercer
  golpe se abre la puerta (Eliot el búho Apollinaire,
  entraron): yo tengo veinte años, ya sueño lo nunca
  habido, el Cartujo en su celda. Guíame, Padre,
  por entre hileras de hicaco, ya pronto darán las
  ocho, se cierra el número. Un boquete hay en
  Egipto, por la cara de la pirámide corre un río,
  cuatro afluentes, a la Isla: una habitación. Guíame,
  Cronos, adentro (péndulo y punto) a tu abstracción.
  Tocan, quién vive, a cada mudanza interpondré los
  libros, y a cada desastre (pues es la condición) me
  sentaré de nuevo a releer los libros sobre mi

regazo: yo soy la madre atenta y paridora de la
alfabética distancia: con la letra, la Isla; con la
figura de la letra, la figura de la Isla: un hombre
la compone y recompone, y muere. Y la muerte
lo baja; muere la coronilla, y muere de los ojos
a la palabra a sus genitales. Tribulación.
Tribulación del muerto. Recorrido de la hormiga
en la cuenca vaciada; la avispa en la configuración
de la boca; y qué animal lo agota lamiendo y
reconfigurando (allá) sus partes bajas: en verdad
soy de carne, muslo del Viejo, postizo de su
cadera. Se desportilló mi padre, a dos bastones
huecos de latón, caminotea mi madre. Ventrílocuo
de ambos, yo: en boca cerrada, etc.; mis palabras
caigan en saco roto. Y por el descosido del dril
viejo del saco me fumaré en su nombre (el nombre
de la Isla) para una última ocasión un veguero.

De
AAA1144
(1997)

José
Kozer

PREÁMBULOS

Calma, verás que existen las palabras, no todo está perdido.

A la legua se ve venir a todo galope (al trote a medida que se acerca) la
yegua azul (azul oscuro) nocturnidad de la
palabra yegua (la palabra yegua es yegua azul)
no hay otra cosa que proferir (profesar).

Está posado el candil en nocturnidad sobre la mesa de noche incendiado
de negruras, guardián de la mariposa de luz.

Puesto que todo muere, calma: verás, por tergiversación, las cosas que
existen (en verdad, nada está perdido).

Una pérdida de luz no es noche.

Llega la hora, suena hueca en el hueco sin auscultar del sonido, la hora
en su sonoridad se repliega a su propio
estallido, recogimiento de la matriz.

De la calma, llegaste. Escucha. Escucha en el orificio: no es nada.

Relampagueó. Una yema azul en la noche, desechos de una alta mano
de mirra, se nos señala, de par en par el umbral,
es cierto que se oyó un restañar, señal de
cicatriz, cicatriz sonora, vestigio somos de
la yegua que nos lame la planta de los pies,
de sal, y luego un terrón dulce, germinar a
la puerta, tender por segunda vez la mano
pordiosera a lo mismo (su puño, en el
pómulo: en todo momento hay que pensar)
un puñado de heno (rozado de azul) azul
acíbar a punto de abrir la boca.

RÉQUIEM

Me hice polvo. Eructé, soy polvo: tampoco cabe decir que no me lo
  esperaba (era una de dos): sépase. Saltan unas
  chiribas, fuego fatuo, muerdes el polvo. De un
  polvo vienes (madre) al polvo vas; no descarté
  nunca esa posibilidad (Y la Biblia tenía razón).
  Hecho. No he de andar más desnudo en verano
  por casa, qué le vamos a hacer: cosa que
  disfrutaba. Tal vez tenga tiempo todavía para
  empujarme el cuarto de quilo de fresas que con
  mimo lavé y puse a refrigerar (morgue, de las
  fresas): comí polvo. Bueno, tampoco se me
  manchará de rojo la camisa blanca que me
  enfundaron (no molesta ya el almidón) veo el
  estallido rojo de la roseta en la tetilla de la
  camisa blanca (lado corazón) me lleva la
  delantera a la hora de tornar ambos al polvo:
  hasta una camisa tiene mayor duración. Tengo
  la piel hecha polvo y ella, oronda: y qué decir
  del nácar de sus botones; son eternos. A mi
  modo de ver, son eternos. Qué rápido sucumbe
  (al menos, en comparación) la forma superior
  de la materia, esta materia del Hálito, cuajo del
  Soplo, mientras aquello perdura: el lino, ajado,
  mas lino; el nácar de los botones amarillea, mas
  nácar. Sin embargo, vellos, lunares, poros, heces,
  retortijones últimos del tránsito, todo (todo) se
  fue al recoño su madre: pieza de polvo; yo. ¿Yo?
  Dos letras, y toso; dos letras (oy, oy, me lamento)
  en cualquier dirección que la mires, o leas, o
  pongas a prueba, polvo puro (polvo) la materia:
  fifty fifty, y ahora resulta que uno de los dos fifties,
  ganó: sépase. Ni matriz. Ni el aire se serena. Ni
  trampantojos. Polvo (eso es un decir) que ya

soplaron. Un desvanecimiento y la sien pasó
de pieza supurante (conceptos, axiomas,
escolios, proposiciones, náuseas) a charco,
fango, resecamiento, y en menos de lo que
canta un gallo, polvo (aún enfundado en la
camisa almidonada con sus botones de hueso
o nácar o quizás plástico jocundo) ya lo soplaron:
está ingenioso el epitafio, muy bien pensado
(gracias). Ya estoy en la memoria de la Raza,
un cuarto de hora: cámara, acción; aquí yace.
Rasca, rasca, ¿das con algo? Chico, ni con un
dolor de hueso, polvo de hueso, a lo que parece
no duele el polvo ni mucho menos el hueso, de
vuelta; por un periquete no hubo trascendencia,
caray: soplaron, y el mejunje se fue al cuerno.
Téngame en pie, a ver qué se ve: el polvo al polvo
se descifra, se ve una erupción apenas chiriba,
perceptible apenas, soplaron: abra, pues, el sitio,
a ver qué. Una corona, unas bellas palabras de
estameña y abrazo, por el abrazo, polvo, y por
el polvo, en el revés del agujero negro, un
momento antes, y en el antes del antes, estuvo
a punto de decir polvo póstumo de lo nato.

LA BEATÍFICA VISIÓN

¿Por qué dicen alubias, y moradas, cuando son (y son) frijoles
colorados? Ganas de hacerle a uno la vida imposible;
frijoles, está claro, mira a mi madre zapateándose la
cocina, al tanto que no se pasen, la olla es una
protuberancia (así estuvo mi madre conmigo)
llamativa (¿apago, ya?) con un par de pesos al día
comemos (la utopía; la utopía) pero qué caro es
llegar a la mesa: quiero vivir para el vientre, para el
cerebro, el músculo inguinal el cardíaco y (callo): es
evidente que sin eso que callo no hay nada; una
cazuela de frijoles colorados rinde lo suyo, vaya que
si rinde, está uno toda la vida maniatado; que si la
declaración de la renta que si mientras más ganas
más te quitan *and all those hidden taxes,* quién lo
hubiera dicho, yo era niño y veía a mamá chancletear
una olla insondable de frijoles negros (colorados)
(ya se puso el idioma un uniforme) en la cocina de la
calle (casa) Estrada Palma, no había otra cosa: eso, y
la contemplación de un caballito de san vicente o una
monarca o alguna efímera posados sobre la alta pared
medianera de enfrente, vaya cosa, cómo se sostienen,
qué comen (mamá, qué comen). Ahí se están si los
dejan quietos (Dios lo permita) día tras día ésos viven
del aire: como comer papas. Un plato blando de frijoles
colorados (o blancos, suaves, suaves) qué bien bajan,
del bolsillo al bajo vientre (ideales) a la continuidad
de la especie: vaya bulo todo lo demás nos meten el
dedo hasta donde el cepillo no toca: hace falta una
cuna, hace falta una tumba: serón moisés canastilla;
féretro ataúd lápida inscripción fosa huesa, todo eso:
qué es esto. Soy carne tranquila, a qué tanto
aspaviento: palabras (sobran) ganas (sobran) y sobran
siempre sobras a la hora del almuerzo. Vivimos en el

desperdicio, y somos (por ende) desperdicio: que
si habas que si alubias que si frijoles o frijoles o
porotos, pucha cuánta cosa para nada: soy carne.
No distingo. Igual me lo trituro, igual me lo pedo
y sigo p'alante hasta el otro día, día siguiente hasta
que avisen: en la visión seguro que está mi madre
dale que dale traqueteando en la cocina, un puñado
de frijoles colorados rezuman almizcle, rebosan
campánulas violáceas (eso es la muerte) trepadoras,
sol, un unicornio con el apostema que supura
(utopía, utopía) bálsamos profusos (así, el estoraque)
(así, el benjuí) sabe sacarle mi madre el quilo a las
cosas: cómo nos alimentó. Entregaba a dos manos
el pecho cargado de viandas y en su protuberancia
más interior nos regalaba viciosa de lácteos   '
inalcanzables sin su presencia: ya es siesta; ya
está muerta. Llámenle cualquier cosa a cualquier
cosa; mi lugar se extinguió (eleutheria) me da lo
mismo alubia que frijol (igual como: de ella) lo
mismo da Epícteto que Epictetus, Heráclito que
Heraclitus, todo para mí es griego (chino). Nací
de la luz, ella disponía la mesa, hubo moderación
(siempre) en nuestros gastos, dejábamos la
metafísica para los grandes Maestros de la
gran tradición, por única sabiduría (eleutheria)
comíamos (barato) (y bien): luminosidad, mesa,
la una, cuatro, y cuando reímos vi dos ángeles
inmaculados recibirnos trompeteando (aquello
huele a algalias) trompeteando (¿me atreveré
a decir, más allá de la muerte?).

INVETERADO

Donde la pera está magullada todos sufrimos un poco.

Más a la madrugada. Y aún más donde el viento se estrella súbito en los
    acantilados, su última racha será un cangrejo.

Deja diluirse el hambre, deja esa imagen, levántate empapado en sudor
    y mira desde la alta puerta ventana a los acantilados:
    orina, regresa, frótate las sienes con agua de colonia
    (sonríe, que ahí está tu madre) ponte una muda fresca
    de dormir, ve lento al poner de nuevo la cabeza en la
    almohada, el brazo derecho alcance la novela de
    detectives al alcance en la mesa de noche, lee, lee
    que el misterio está resuelto.

Con el cuchillo sajas la magulladura te embelesas en la jugosidad de ese
    fruto de verano para siempre, quieto (ya) el viento,
    lo visto queda visto, no tendrás que orinar hasta el
    amanecer, y al amanecer nada merma: las norias
    están de fiesta, y los cangilones; cayó la venda
    (bonancible) buena visibilidad esa palabra.

Se escucha el retroceso milenario del crustáceo sumiéndose a la cueva.

VIDA REGALADA

Yo soy un bien fungible, vaya cosas de las que uno se entera: muerte y
   yo estamos empatados (por ahora) me reconcomo,
   se corta el hilo, quién queda: no tengo concentración,
   no tengo memoria. Oye, cosas de vida: el gris plateado
es el perfecto contraste para que resalte la rosa; mi
estimado su obsecuente me es grato comunicarle
quedo suyo y seguro servidor; me dispongo a
aprender italiano viajar durante cinco años Pisa
Siena Stromboli Torrox; Ibn Hazam, «el hombre es
un ser preocupado, el propósito de liberarse de la
preocupación es su rasgo distintivo». No se
preocupan la rata y la langosta, la rosa de pitiminí
vive a la bartola, y a la buena de Dios vive el buen
Dios que se ocupó y despreocupó por nosotros
(Ibn Hazam) los preocupados. Oye a la vida: le zumba,
tiene tela, le ronca; quítate de la acera ay mira que
te tumbo; sobrio, sobrio, no te dejes llevar: si me
pides el pesca'o te lo doy (bajo ciertas condiciones).
Oye, si sólo hay una vida, ¿no ha de ser regalada?
Una vida regalada, oye: huele a arrayán, el sol se
pone, cielo violeta juanramoniano, en la euforia
estival un primer mosquito sucumbe a un manotazo,
dos platos, ensalada fría de atún natural vino blanco
(helado), unos espárragos blancos con mayonesa de
tu mano (tu batidora) pan integral recién horneado,
oye, música lejana (¿de las esferas?) oye, el verdadero
espacio sucumbe al silencio: y tras los postres, un
único momento de lucidez, fusión de modos y
tiempos, alta visión de la Alta Ciudad (primero
habrá que visitar Irlanda) y en el plano terrestre,
fumarme un puro. Años que hacía que no fumaba.
Años de moderación: callé, y dimos un largo paseo
por la orilla del mar, fumando. Se apagó. Noche

cerrada: gran recámara la noche. Nupcial; pasiva y del alma. Y la carta de Díaz Martínez que me dice que murió su mujer y son atroces las noches. Atroces. Atroz, de Atridas; y atroz, de Átropos. Noche monda y pelada de miedo en la nuez de Adán, verdinegro: sin juntura. Hila fino su espacio la noche. Tengo un solo recurso (palpable) entre tanta fronda vivir como huésped.

OQUEDAD

Mi alma es teológica.

Hubiese preferido que fuese teleológica, pero como no sé lo que es
    teleológica (por más que me he esforzado no he
    podido captarlo; o lo intuyo o comprendo mas lo
    acabo olvidando) me adapto, acepto, cierto que
    algo disminuido, que sea sólo teológica mi alma.

Esto quiere decir que sé lo que es teológica. Y que sé lo que es alma.

Empalagoso es esto de tener que saber: hubiera, de lo contrario, escrito
    un poema referido en directo (¿habrá tal cosa?)
    al alma arrojadiza despidiendo sus atributos.

ORO

Las cosas tienen su utilidad y ése es su límite.

Rompen, a veces: surge una confusión de lagartijas, sol recogido a su
     eclipse, y alguna fruta sin paladar ni semilla,
     entonces verdadera.

Las cosas mueren y ése es su fulgor.

Parecen una estridencia, en el límite de lo inhóspito: rompen, y rotas,
     no tienen fruto ni miedo. No soy un dios, pero
     a veces por compasión (y eso es un error) las
     pongo al sol a orearse, soy llamado a mirarlas
     del otro lado donde en verdad no existen, y
     veo su pieza única de verdad, el adarme único
     de verdad extensa y longitudinal donde nunca
     fueron tocadas por la luz.

LA RECURRENCIA

Ya me voy. Pareció que iba a llegar, me voy. El lugar está ataviado pero yo
no voy, sus calles de anchas aceras sus jardines con
dos macetas grandes a la entrada (vicarias) algún
sillón, humo (humo) se incendió la vitola del veguero
queda un aroma, se fue; yo no llego (ya): Tales son
los atavíos de aquel sitio. Y dos gorriones. Ésos
están siempre ahí, como una salazón. Pobres,
estarán hartos; adónde van: no vi nunca el esqueleto
de un gorrión, y eso que el barrio aquel era un
hervidero de sus jerigonzas, será que exhaustos
se vuelven (jadean, un estertor) un broche en el
vestido de alguna muchacha asentada en su primer
vestido de gala (no puede ser) los gorriones son el
cemento de las aceras, a su muerte se vuelven
desperdicio, bendito Dios, ¿no se convertirán en
amatistas, en algún fulgor, una viva cornalina?
Hágase la muerte; nunca se vuelve, no se vuelve
(ya sé). Está el humo del veguero en su ciclo último
de voluta buscando ser aureola del señor del veguero:
así era mi barrio. Unas casas bajas, son suficientes
para poblar el mundo; vaya, la muchachada. Y vaya
tendencia de la guagua a hacer el recorrido, qué no
diera yo por sacar otra vez el brazo con la camisa
de mangas cortas (iba fumando) a cuadros, madre
mía se le cayó un botón; hilo y aguja, traigan por
favor hilo y aguja con el dedal caído en medio de la
sala cerrada a cal y canto, hez, mosto, musgo, y en
el tamo el polvillo de algún muerto gorrión en el hilo
fino de un vuelo rasando alrededor de un círculo
que alguna vez fue aire: ¿no lo ven? El qué, el qué.
¿No ven la azotea, el palomar, las reuniones, la
última conversación intelectual? Y entre tanta
palabrería y desavenencia, mansa isla. Isla mansa,

¿no ven nuestras veneraciones? ¿Y esta reverencia? La mano a la coronilla, la mano al corazón, mano derecha a la pudenda por Cuba, otra reverencia: cayó la tarde, cesó la palabra, nos fuimos, y ya me voy. El mismo sitio. Variaron el nombre: tiene igual arista, el mismo quilate, procede de idéntica veta. Talla y talla letra escrita, por ejemplo, cuando quieras seguirás de tu casa (coma) a la insustancialidad de la casa (punto y coma) a un fulgor (dos puntos) ves ahora como siempre es hacia adelante; ya soy figura de dicción, pongamos que apócope; y donde estuvo mi casa que iba a volver a verla, llegó un resbalón. Ahí voy, por un afluente; allá voy, entre los demás funámbulos, y allá va eso, vaya, vaya, a su desembocadura (será como una rada) no habrá maraña: no va a haber más marañas. Todo se desdibujará, sencillo: abrir, quitar, desnudar. Y si en verdad me zafé, sé que estaré cobijado: piedra preciosa pues este inminente deterioro. Ya lo veo en las casas, el yerbazal creciendo entre las juntas de las aceras, mi propia desesperación buscando en el bolsillo de la camisa, un tabaco: oiga, ¿y el humo? ¿Y su tripa? ¿Vaciaron la petaca? Abro, quito, desnudo; y me doy la vuelta (yo sé que esta vez no seré estatua de sal) al contemplar calles casas jardines azoteas (sonreímos) todos, un nombre, y en la vigilia primera del amanecer (gallo, gallo) me exalto en la contemplación, cualquier flor, cualquier gallo, cualquier crujido en la enea o donde la sombra regresa a su contorno en la madera del sillón.

ESTADO DE CUENTAS

Una infusión (tilos) dos tazas, en verdad por sus sombras sólo un asa.

Pasamos un largo rato oyendo taconear, quiebros de voz, suma
    elegancia, canciones y danzas de esta tierra.

Se nos entrecortó varias veces la respiración.

Varias veces nos entró la risa, la risa que lleva al retortijón (basta, basta
    que me va a dar algo) la rara risa de unas
    cuantas veces en la vida, que no doy más.

Y vimos la noche. Una noche envuelta en lisa negrura ajena a todo fondo
    porque no hay fondo y dada la risa aquello con
    esta voz no tiene nada que ver con nosotros,
    otro sorbo que se enfría, qué bonito lo han
    dicho, tan sencillo, te digo que nada ocultan
    tras las palabras, y luego oscurece.

Y luego que oscurece pasa el sueño blanco de la guadaña, su fulgor nos
    hace cerrar los ojos, dormimos.

En dos sueños al alcance por sus sombras reverberando sólo unas fauces
    de cristal, figura y figura ajenas a toda
    contraposición, un sólo giro del cuerpo
    sólo un ventrílocuo.

EL RECONOCIMIENTO

Entonces
mi hija llegaba a casa
y donde estuvo su padre
encontraba la ristra y la cerbatana
de un alfabeto
en el momento de sus concesiones.

ALEGRÍA

Un poema (poemilla) donde los oros reluzcan los lagartos descansen las
   piedras los musgos alienten sombras.

Aparezca una mujer, centenaria y simplificada, diga ser mi madre, me
   pase la mano por el rostro, tienes lisa la cara: y la
   compare a una laguna quieta en estío a una ciudad
   inalterada, me asegure (poema) que reina el tiempo.

El tiempo aparezca, una de sus historias no haya que simplificarla: sobre
   la sintaxis, léxicos y estructuras no hagan apenas
   falta: apenas, un dejo leve, un leve quizás de garza,
   mariposa apenas, pocas palabras.

Un poemilla (recta, la línea) al curvarse (poema) deje las ramas del sauce
   rozando (brisa, la brisa) una superficie: y el agua,
   un agua sin reflejos; un golpe seco (abrevo y conozco
   el sentido de la precisión): el vaso de la sed sobre
   la mesa y un pez enredando el agua de los ramilletes.

OBLEA

Aquel año en que estuve todo el invierno leyendo los *Diarios* de Thoreau
(once volúmenes) el lluso era yo en un mundo
descompuesto, y descompuestas mis arias:
«I did it my way» (Elvis Presley). Unas tierras de
pan llevar unas tierras algodoneras unos campos
de alforfón en extensión hasta la taiga, no son
mi tierra: *six feet under,* cuatro palmos (otra ilusión
más) en dirección vertical para la horizontal de
todos (valga la redundancia) es y será, mi tierra:
unas tierras donde creció la flor de la calabaza,
persistencia del azúcar, persistencia del tabaco,
mi tierra: una quedará, en otra quedaré yo otro
rato, última aria (casa) su gorgojo: salida, y no
era como vaticinaban un asunto ígneo;
regurgitación, y aquello que escapara de mí fue
un vilano (más) y no por supuesto como los
apocalípticos predijeran, fin de mundo, fuego
milenario y demás estruendos: detallar ese final
reguero no toma mayor espacio de tiempo que la
merma de una gota de tinta vieja al derramarse o
que el ápice o adarme de una pizca descartada de
polen por el culo de una abeja: *memento, memento
mori; contemptu, contemptu mundi; tempus fugit* y
fugit tempus (no voy a chequear el latín; y si van
faltas de ortografía, qué se le va a hacer) (no sé latín)
(y por ciencia infusa no lo aprendemos *in extremis*
en el postrer momento llámese como se llame esa
cosa del tránsito, *rigor mortis*): no obstante, éstas
son cosas que no me atañen. Alzo la vista (y con la
vista alzo el paladar) salud, Merlot, las uvas
sulfatadas aún dan buenos vinos, salud, garnachas,
buena salud para poder tomarme otro vaso de
orujo un chato de malvasía (Shakespeare *knew*):

santísimo cielo, tengo salud, volví a la bebida.
Todo desorden procede del sistema digestivo.
Todo bocado que padece un proceso de digestión
lenta en exceso, la vida acorta: vida corta, mala
digestión, para qué pues esforzarse. Me atañe la
salud. Me atañe repetir al día tres veces una
hegemonía de confituras, tres salvas por la buena
repostería, brío es flan, plétora es una rosada al
horno con maíz azul y un puñado de papas nuevas
rociadas con aceite (alcuza; servilleta de algodón
almidonada de los buenos buenos tiempos cuando
el papel no era para servilletas era para limpiarse el
culo): sólo me atañe y hasta próximo aviso durante
trescientos sesenta y cinco días tres veces al día
(salud) (mi tierra) contrapuntear, pauta legible de
harinas, peces (voces: ¿soy legible?) haces, el trigo:
y Thoreau, y aquel libro de Edward (*not* Ralph)
Waldo Emerson recordando al amigo Henry
(*Oh, hills of Conantum*) feliz libro que feliz me
hizo aquel año en que estuve todo el invierno
comiendo pan con aceite, pan con ajo, café,
bebía agua mineral, saboreaba con creces
(mi entusiasmo: entusiasmo, aquél que lleva
a Dios adentro; en theos, qué cosa: las palabras)
la repetida lectura de los largos versículos de mi
Biblia, la buena compañera: la compañera que
me enseñó adufe, ungido, amono y cinamomo,
plañir me enseñó (Bendita): haya, hasta el final,
reiteración, copia y reiteración de las cosas del
mundo, repítase cada mañana la salud, cada
mañana toque a rebato (salve) el desayuno, sea
nuestra remuneración un cronométrico aparato
digestivo, no se atore, no se atasque, salve su
fauna y flora, de su seno surja de la mano del
ajo curativo, la camelia: la luz de la camelia: la
resplandeciente explosión de una hortensia.
Sea la muerte un exabrupto momentáneo de
camilleros y volandas, de uretras y personal
administrativo, un gaje del oficio: y sea por
tanto o por cuanto hasta su momento un

entramado (tatuaje) de aguas tributarias que
desembocan esta mañana (otra mañana) en el
surtidor del patio, un trino, un gozne, otro día
otro arbitrio, taza doble, un hilo, una tijera
(salud) (cómo puedes tomarte el café tan
caliente) un golpe o un chasquido tú y yo
nos quedamos con el asa de la taza en
la mano.

De
La maquinaria ilimitada
(1998)

José
Kozer

LOCOMOTRIZ

Estimo que la razón está entorpecida, no todo el tiempo ni siempre: yo
   lo aseguro. El tiple lo asegura de mi voz. Lo asegura
   mi barítono un contralto a tono con mi condición
   (mental). Y mi tenor lo asegura. Un claro día al
   comienzo de la primavera un enjambre de luces, el
   exterior; la silla de tijera (inoxidable) la circundan
   caliginosas penumbras, el éxtasis en los ojos: brilla
   la luz de la silla de un manotazo (mío) (mío) la silla
   blanca es repintada de madera boj o de madera pino
   o lo que quiera la silla (sin barnizar) (ni pulir) (hosca)
   la tosca silla vieja pulverizo de un manotazo: vieja
   costumbre mía, el serrín; y mi busto erguido
   (carcoma): los pies firmes los muslos contraídos,
   sobre el suelo. Ese embuste (*me japanese.*)

A mi alrededor el zumbido de voces roncas otras veces aflautadas o
   papel de lija las voces (oye) que cimbran contra la
   vara del vareador del gran castaño: y oigo que le
   cuchichea al árbol cada vez que mira el intrincado
   firmamento de sus raíces centenarias, hacia dónde;
   hasta dónde (hasta cuándo, esa voz): tiene
   clarividencia trina o grazna cuando alza la vista a la
   cima del árbol, varea, caen nutridas sombras de
   alimentación para los seres del vareador aquí abajo
   caen patas arriba los cigarrones incrustados a las
   ramas del castaño (ahí) murieron en otoño: y el
   vareador canta solo a cuatro voces según entienda
   su razón tal vez también entorpecida, no todo el
   tiempo ni sus veces: viejo barítono vareador
   con la cimera encasquetada a la cabeza operática
   el muy peludo y lindo contralto de ricahembra
   blandiendo sus nutritivos pechos ante su público
   (nosotros, zagales) (zagales viejos) amamantados

por una voz primera (postrera) madre del
amamantamiento: a mí me da su pieza azucarada
(negra) filtro amoroso resucitador de la razón
perdida, dicha del pensamiento (lógico): y
exclamo; tiple (soy feliz) barítono (me asomo
a la ventana, los ojos de mi razón mental
tropiezan en toda su amplitud con el tronco
añoso inabordable del castaño) (¿sicomoro?)
(¿plátano de Indias?) árbol lo llamo (¿me llamó?):
árbol árbol (contralto) me subo, figura asexuada
en la voz: soy eterno. Tenor del centro mismo
del árbol.

Un castaño, vivo, pez alimenticio, hojarasca necesaria a la tierra (debajo)
todo se inclina ante tu altura; la cúspide y el
reflejo inaccesibles, de tu sombra: razonable
árbol al pie de la ventana (pronto llegan) (será
el almuerzo): el almuerzo temblón en mis manos
el cuchicheo de las alimañas en el interior de la
fruta los roedores dentro de las castañas los
corpúsculos vivos hijos de la Majestad dentro
del agua: o será que me nutro de los amentos
de un álamo cercano, sólo visible al vareador
golpeando el castaño cuajado de drupa y nuez
o golpeará las sámaras de un fresno invisible:
¿es otoño? (¿y esto que es, será; ya fue?).
No me confundo; los cubiertos tiemblan
(acaban de entrar, de blanco: ¿los cocineros?
¿el ama de llaves? ¿joven o vieja?) al más
mínimo roce con el borde orlado del plato
(músicas; dónde) el cuchicheo del agua en
el fondo del vaso o un vino blanco tal vez
labrado en un cáliz, tembló (al golpe del
cubierto, en mi mano) esta mano, ah, lo
tembloroso: por acopio, por exceso, por
amor de las menudencias.

Aquí estoy: ojeroso destemplado vivo y otrora, tempestuoso: festivo
(tenaz) (tenaz) lo noto cada vez más, en el punto
de apoyo de la planta del pie (firme) sobre el

suelo, sentado al borde (escuchando) de la silla
de tijera (hojalata o madera, qué me importa)
todo se acabará (mis muslos contraídos erguida
la espalda, busto firme): soy yo (yo) soy. Nada me
inmuta. Nada me inmola. *Noli me tangere:* soy, el
Exento. Gracias a mi razón. A veces entorpecida.
No siempre. Pues bien veo: a) que estoy aquí;
b) que el vareador cumple hoy (primavera)
u otoño (mañana) con su función especular de
alimentar a sus cerdos familia su propia persona
y toda la comarca especulativa, en sombras a su
alrededor; c) sé que oigo; d) que son voces dobles
(raíz y cima) a cuatro de un tono u otro, no
importa. Y con estos datos (ya entraron,
almuerzo) (pronto tomaré cualquier cosa
acompañado de músicas celestes) vivo,
sobrevivo (*vivere parvo,* nada mejor: *vivere
parvo*). Y moraré en esta tierra esta casa con
esta entrada un ventanal a un árbol muy
(muy) cercano (aquí está) desde la mañana
hasta mi año centenario.

Así, somos: otros se regastan y desgastan emulándose y contradiciéndose
(yo callo) la lógica feroz el vínculo inquebrantable
el organismo único de las palabras, los mata: a mí,
no. Soy dichoso (oigo) tranquilo (miro) módico
(vivo con poco) tiemblo y me turbo (conturbo)
un poco (muy poco) cuando entran los cuatro
(de blanco) y a la ventana asoma el vareador,
me varea, y de mis cabellos recortados no sé
cómo ni de dónde, caen las drupas los amentos
las configuraciones de la raíz del árbol (¿soy el
almendro?) (no que no: a veces me falla, aunque
no mucho, el raciocinio): se van. Y yo vuelvo al
gorjeo (digo) hablan de mí me desdicen y digo
me limpio la comisura de los labios con el canto
de la mano, no me astillo, no me empobrecen
(ensombrecen) las cosas a mi alrededor, sigo (aquí)
entero, centenario, el Umbrío llamado, conocido
como el Frondoso, raíz fuste ramificación (soy)

copa cielo bifurcación subsuelo (selvática, cosa)
idea unísona del cuerpo y su sombra prolongando
(prolongándose) en mi apetito de raíz fija sombra
(centenaria) este lapso.

MAGUA

Toda la frente la tengo cubierta de palabras y en ambas sienes un
asterisco: un yerbazal las palabras, y entre ambos
asteriscos reyes, crónicas, rut, el susto de betsabé
cuando intuyó en la azotea que habría de abandonar
su sueño casto de susana a fin de parir sabiduría: del
libro viejo se me ha llenado hoy de viejo la frente; en
pie, me mezo; de pie, releo; y voy de atrás para
adelante (cangrejo; cangrejo) con la mano derecha
sobre la cabeza (releo) no volveré a mirar hacia atrás,
fuego y azufre, y una estatua de sal hoy que de viejo
huelo a hijo, ah las virtudes las potestades y los
serafines, ah los tronos: la visión al final del libro
debería ser un mapa, mas como dice «y la muerte
no existirá ya más» yo en cualquier caso y por si las
moscas donde dice «no existirá ya más» pondría
(debe decir) un mapa: con santoral al dorso,
cruceros, arcas de la alianza, mesa del pan de las
proposiciones (a ante bajo cabe con contra, déjate
de bromas) *zen tao shinto (all kinds of insurance:*
que te dejes de bromas) y epifanía huida tentación
Horeb o gólgota (deja ya eso) una pila de cosas
todo eso, Juicio Final: vaya mapa. Mapa de mapas,
saecula saeculorum, sancta sanctorum, poema de
poemas de una sien a otra: oye este cantar de
cantares, oye cómo va: ¿y el Pentecostés? Llenos
de mosto, ¿estamos? Déjate de chacota, te va a
costar. *How much?* José, José. Detente. Reflexiona.
Cavila. Va y no es superchería: escucha; menos
hablar, y escucha. Menos hablar (a la mesa no se
habla) y más comer (que papá decía). ¿Y todo eso
está en la frente? ¿Y todo eso viene de Él? *Ubi?*
Ubi Él? Encima, sin duda; eso es evidente; a
izquierda y a derecha, por supuesto (es decir, a

todo lo que den derecha e izquierda, por supuesto)
Él; ¿y debajo? ¿A mis pies? ¿Dios a mis pies? Cosas
difíciles estas cosas, yo clamo; clamo por Él *(Who?)*
(Where?): vaya, en dos idiomas) *(Who?)* *(When?)*
cabe dónde cabe cómo cabe cuándo (¿y cuánto?):
un mapa con un meridiano donde quepa el querubín
de alas extendidas de un extremo a otro del mapa,
oro macizo las alas, en mi frente pan de oro a
imitación del querubín de aquel templo primero
(y en verdad único pues todo lo demás es imitación)
en mi frente, su reflejo; y por su reflejo, las huestes
(hostia, qué palabra) celestes en orden ascendente
(descendente, para un imitador como yo por palabras)
todas las tallas en mi frente, y en mi frente (por
palabras) aguamanil, badillas y aspersorios, un gran
objeto de cobre consagrado, y por su consagración,
velloritas, un campo de velloritas un campo de
gencianas, Su templo: es decir, mi frente (frente
de proposición) y por la frente, de una sien a otra,
totalidad de palabras: morir acompañado. Y de tu
mano *(abisag)* (Guadalupe, de tu mano) y mamá
(Betsabé) a mi lado (Ana) a mi lado, desciendan:
hágase Tu voluntad (claro que en yiddish). Un
cielo yiddish. Un subterfugio yiddish para poder
librarme de ésta, y escabullirme; en letras yiddish
(¿las entenderé?) (¿entenderé?, ¿entenderé?) la
salida. Boquete, y luz. Luz y un tranvía de luz a
la loma del Cerro, loma del Mazo, por el boquete
(exeunt) llegó el primer día: ocho de la mañana,
Santos Suárez, salón con ventanales a un jardín de
la mano de Dios dejado a su perfección, rosas y un
yarey, rosas y colirio (extracto de vicarias) para mejor
ver después de la larga cruda de la vida (estoy viejo)
Su (a la salida) (dónde, por dónde) presencia: presente,
el niño; presente, y a punto (en su maceración) el
anciano; de los suyos, rodeado, en la su villa de
Ocaña (qué me digo, de La Víbora) mostrando en
este trago su esfuerzo famoso (pero qué me digo,
si yo soy un cagueta, culero e hijo de culeros; hasta
el canto del chamarín me amedrenta). ¿Ya morí?

¿Estoy ñampeado? Seis letras, Muerte. Seis
letras en la frente y una ventana por donde vi
de niño por primera vez en un jardín de La
Habana el día de mi inauguración escolar, día
de la inauguración por seis (el sábado, descanso)
la mezquina figura chanzona, chanzona y chacotera
(chusca) la Muerte: y traté por todos los medios a
mi alcance, de congraciarme (*to no avail*): y como
vi que ni lloros ni palabras me servirían de nada,
acepté, aún de niño, acepté, y pedí (a mi madre o
a la maestra al piano en aquel día luminoso a mis
tinieblas, día primero con vista al jardín, el jardín
de las acacias) que me limpiara el fondillo: obrado.
Y por obra mía, la frente vi llena de palabras; y ya
que de esto se trata y que de esto estoy hecho,
esto doy: a la salida (palabras) después de una
larga adormidera sin recurso.

MÁRGENES

«No me pongáis freno»

GÓNGORA

Las florestas me como, de la lírica en lengua española: subsisto. Nivel de
  subsistencia, en los péndulos el espejismo del rubí,
  los flejes y las ruedas dentadas, a punto en los ejes
  de zafarse; todo (quiero decir, en lo que a mí me
  atañe): mientras, persisto: el aguafiestas (que me
  echó el ojo el primer día) me mira y mira, yo soy
  su monigote: contra su mando sólo tengo el azar,
  azar llamo a alguna tarde ociosa cuando soy sabedor
  (tañer; tañer) solvente estoy a la orilla de un arroyo
  (véase que me sitúo en parajes clásicos) me cubro
  con el chambergo, sandalias (pies, desnudos) (mejor,
  un par de calcetines blancos, purificados en lejía,
  incluso los planchó mi mujer o quizás mi madre
  fundida ya en la sombra oval de mi mujer, aún
  cantando) leo de cimeras, de paramentos leo, del
  falaguero mundo hoy vuelto rítmica versificación
  de clásico poeta que gusto releer, rehuido (yo) del
  mundo: me fui; a comer gloria de vocablos, a ingerir
  a puñados cebada de sinónimos, antónimos obrar
  ensuciando, ensuciando asimismo hogaño el mundo
  con el residuo de mis propias (ingeridas) palabras.
  Felipe, ¿quién (las) rige? Y sigue en pie la pregunta
  (digo yo), a lo que no hay manera de responder,
  tupido velo y olvido, tul y olvido, telarañas de
  palabras; seco, estoy; lo considero buena cosa, y
  magro, cosa buena también (es) esqueleto del
  esquelético rumbero que fuera yo de joven,
  esqueletoidal: y de ahí al polvo, un santiamén
  de (última) palabra: y si no, mira a tu alrededor
  (échale el ojo, y comprueba): dos javieres muertos,
  una perla, un césar, un david, dos rafaeles, pronto
  se detendrá el nombre. Eso, no importa; no interesa

más: interesa a fondo someterse a la virtud del
momento (la hora se detuvo) escucha: sonoro
tiempo mudo (como diría un clásico habitante
de nuestra floresta, lo ingiero); y ahí, la mota
y la polilla; y ahí, el tamo y la brizna (yo; yo)
corren aguas, y no me corro, me llevo la mano
al oído, su forma de caracol, escucha: escucho,
maneras olvidadas de decir, cuán hermoso; así
un prado lleno de verdura (qué cosa) y así, se
condolecen, y mi morir (etc.) qué bien decían
aquéllos que hoy en la floresta solazan mi
apetito de tardes al aire libre, libre es el aire
(qué cosa) en su eje habla el poeta a Alcino,
o dice Líbano, o canta, por ejemplo, de
bellaquerías tras una puerta (señores, buenos
señores, aquéllos eran unos señores poetas):
qué queda. ¿Palabrear? ¿Fatigar libres versos
impelidos, en verdad impedidos, pues quién
hará hoy del mito grecolatino una alegoría
o de la princesa que estuviera triste un día
entero en Managua (digo yo) eje de su propio
verso? Mal andamos, de espacio. Cada vez hay
menos. Y por ende cada vez hay menos arroyo,
riachuelo, laguna y chambergo (a Ariguanabo me
voy) a la izquierda el otero, ahí delante el risco,
a mis espaldas qué sé yo, sobrepujón el azor
mudado de las cetrerías, poco (poco) este
espacio, ¿escribo? ¿Trizas, escribo? ¿Mariposeo,
palabras? ¿Palabras inscribo, que digan quizás
almena, Artemisa, Cloto, noto o céfiro (qué cosa)
hojeo a Ovidio? Me calo el chambergo. Miento.
Me calo la gorra de lona blanca echándome la
visera hacia atrás, beba *Ironbeer* dice en la visera
de la gorra. Ahora sí estoy aquí; he vuelto: y por
la revuelta del camino me veo volver recién comido
buscando la sombra de un árbol, árbol veo, encina,
eje del mediodía, un primer calor (hervor, sería la
palabra deseada que se ha de evitar, quizás por
rebuscada) me desperezo y me tumbo, iba a decir
o escribir o leer en clásicos parajes, al ibis o los
gorriones, sucumbo.

ENCUENTRO EN CHO-FU-SA

Escucha, Guadalupe; escribo para ti de soslayo esta imitación tomada
      de Pound de Li Po tomada, venerando al imitar,
      dado que mis fuerzas (gracias a lo cual, ahora,
      todo se sostiene) flaquean: ya estamos viejos;
      unos más que otros, los tres, concomitantes: tres
      pirámides viejas, tres barcas en la noche a orinar;
      un río; Rapallo; un reparto habanero roído por
      onzas de carcoma llamadas tiempo, las onzas
      relojeras del tiempo, aquí, allá en la China, y
      entre la China y aquí, Pound Pound, péndulo
      y martillazos la contera del tiempo: hace falta
      el punto de la tinta o de la mina del lápiz,
      Guadalupe, para clamar a tu figura vaciada
      desde hace años de matriz pero llena de frondas,
      de receptáculo, oído vivo de José: oye a Li Po a
      Pound óyelos traquetear palabras coordinadas,
      perfección por encima del tiempo: ellos lo igualan.
      Qué te digo (ven a esperarme) ellos lo deponen y
      continúan, ya coronan: coronaron, y aquí se cuenta
      cómo la joven esposa de un mercader lamenta la
      ausencia del amado (¿concibes, Guadalupe, tú que
      concibes, tales aguamieles?): era una niña, se hizo
      casadera, conoció líbanos, cántaros de leche (ella
      tuvo que imaginar tras el conocimiento de amor
      cosas de libros ajenos, cosas muy verdaderas a la
      imaginación, digamos, de sensibles doncellas de
      pronto seducidas, a todos los efectos, por la palma
      de una mano que tranquiliza) recuerda: jugueteaban,
      y acostumbrados desde niños (según nos cuentan
      los poetas) a ofrecerse corolas ramilletes y
      esplendores amarillos que el Emperador en su
      aislamiento desconoce, a partir de los dieciséis
      años de la amada (tú, a los dieciocho) fueron

ambos esplendor amarillo, viva naturaleza reducida
a un momento de cuatro piernas entrecruzadas
(recuerda) en tijereta de amor, y fueron solaz sin
interpretación posible: innecesaria; otra cosa
mediaba. Él marchó, ella quedó a la espera (tú,
esperarás) y en la somnolencia de la espera dijo
al oído de Li Po unas palabras recogidas por Pound
(aquí transcritas): en ellas, Guadalupe, se te
menciona a la espera de un reencuentro; y de su
particular geografía (porvenir) te escribe José estas
palabras: toma entre tus manos, por ejemplo, *La
Belle Dame sans Merci,* toma asimismo *She Walks
in Beauty* y (*fair is fair*) coge entre tus manos a
Marlowe (*The Passionate Shepherd to His Love*):
échate a andar, nada temas, estás guiada: una isla,
verdor (hazte idea) azules y carmelitas inenarrables
(esto lo digo por ti, ya que amaste más que nadie a
la palabra carmelita) (santificada; santificada)
adéntrate; atraviesa umbrales; la oscuridad es luz,
y deja a un lado esa ciencia de aire que dijera Elifaz
guiando a Job, Virgilio a Job, Teresa o Juan o Keats
el jovencísimo a Job; llamemos por un instante a
Lezama al servicio de otro poeta llamado Julián:
todos te servirán, guían todos, todos llaman, dejaré,
yo entonces de clamar: allégate. A Sadday no le han
sido ocultados los tiempos; del esplendor irreversible
del tiempo (mira) flor de ciruelo (está en el poema:
Pound, Li Po): sigue al paso el trazado de su sombra,
llegarás a una cima (las pobres tierras llanas apenas
simbolizan): contempla; una ciudad; un joven de
veintiséis años, posible mercader casadero subirá
por deltas y contracorrientes rumbo a poblaciones
extrañas a negociar el asunto interminable de todos
los días (morir): ahora está varado el joven (tiene
dieciséis años, somos tú); su piel cuajada de manchas
arteriolas las ramificaciones y endurecimientos es
carne a la diestra de una Perfección: mírala. Sólo,
mírala. Adéntrate, hálito. En ti, Guadalupe,
reconfortar es natural. Imprímele a quien esperas
entre dos orillas dos soplos, un poco de figura y

hálito, imprímele otro poco de tu diestra figura (naturaleza) nárrale para oírlo, háblale para escucharlo, y de él (José) vendrá otra vez (Pound) la lluvia (Li Po): no estamos tú y yo dispersos. Es aquí; aquí: el sitio tiene nombre como nombre innombrable tiene tu naturaleza: le pondremos endecha (qué más da); bien sabemos que es para salir del paso, sal a mi paso, que llueve fino (llueve bien) y las florestas de la palabra se han hinchado.

SILOGISMO DEL ESPEJO

Todos los escarabajos arrastran helechos cuesta arriba para anegar con
  su negrura las cumbres nevadas.

La cumbre nevada del Himalaya es perpetua.

Luego la cumbre del Himalaya es un desparpajo sucio de abalorios patas
  arriba que triza y barre el viento negando (negando)
  la ocasión perpetua del helecho, de vuelta en
  retroceso cuesta abajo a la blancura.

De
Dípticos
(1998)

José
Kozer

CENTRO DE GRAVEDAD

Mi Patria es la irrealidad.

Un cuervo se deshace y tiene cuatro albergues: nido, hamadríade,
sustento del espantapájaros y espantapájaros.

Soy ese cuervo, natural.

Me llamo Cuervo, por entero, puede hacerse todo un catálogo con ese
nombre.

Doy un ejemplo, la guía de teléfonos (¿habrá mayor desolación?).

Aves y cernícalos de la guía. El disparo del ballestero, la caída arremolinada,
plomo, desplumadura, eso que crascita es un
recorrido del índice cadavérico por páginas
amarillas, doy fe, doy fe de muertos, de sus
letras borra las letras, del número avariento
no es posible alterar nada, se nutre de la
muerte, y en la guía, Gran Guía (¿de teléfonos?)
el número sigue instalado, cambian las letras:
otro es el nombre, son otros los apellidos
para el 544-9097.

Mi Patria era ese número.

Diapasón del cinco al cuatro, tropezón del nueve, perfección del siete y
ahí en medio El Sadday, El Eterno, perfección
del cero, Alabado Alabado (no hay nada que
hacer) oiga, Cero, quién crece, así cualquiera
es inmaculado.

Es el cero mi Patria.

Parece nueva, y es la más vieja acera de todas, y es la más vieja calle de
   adoquines. Con el carro del mantecadero
   tirado por un caballo. Con el barquillo. Con
   la petición, tres bolas de helado, por favor,
   del niño. Un níckel. ¿Y de qué las quiere?
   Chino, ponme una de mamey, dos de mango.
   Chino, todo cambia, cambió la cosa, cámbiame
   la de mamey por la maceta de vicarias, las dos
   bolas de mango por las dos sillas vacías de
   enea en la terraza. Esa materia no se derrite.

¿Y qué va a ser de la Patria de mi materia?

DE LA NACIÓN

En Cuba cayó una lluvia colorada.

Yo huelo a restos, la lluvia roja empapa la grupa de una yegua paciendo
    entre las ortigas y los guisasos de un placer.

A mí el agua no me moja, yo no lo entiendo, el agua roja.

¿Qué árbol es ése en la esquina de casa? ¿Por qué a la voz de alarma
    avisan que por la forma es un abeto o abedul, que
    se ve un bosque de tiemblos subiendo la montaña?

¿La montaña? Este reparto, ¿no es el que dicen La Víbora, no está ahí
    Santos Suárez?

Cuatro cines, dos calzadas en cruz, un número grande de patriotas, cada
    casa un jardín cada jardín dos macetas de
    vicarias a ambos lados siempre del tercer
    escalón a la entrada, ¿es por aquí?

Ya huelo a ciego, olor a viejo, me huelo que pronto oleré a rapé al
    amoníaco de las sinagogas, olor a
    moribundo, ¿estaré de vuelta?

¿Escampó? No escampa. Nuevos son para mí de nuevo estos fenómenos
    atmosféricos, puede decirse una inversión
    térmica mi propia vida, al bies la llovizna
    huele de pronto a tabaco, está cuajado el
    flan en la cocina y huele a caramelo puesto
    a enfriar sobre el tajo de cedro en la mesa.

Y la columpian y la columpian, cruje, verdes varales, verdes maderas
    recién pintadas los dos asientos del columpio

en la terraza, ¿cuál de ellas? Tres eran tres:
¿o Perla, o Ana, Esther?

Tía, ¿y por qué Esther con hache? Risa, qué risa las explicaciones.

Mírame, dibujo dos iniciales: mírame, papel secante: soy caligrafía.

Y de la lluvia roja no crece nada en Cuba la tierra colorada se ha agostado.

Voy a ponerme a escuchar, lleve el tiempo que lleve voy a ponerme a
 escuchar. Dicen, lo sé por la dicción, por el acento
 habanero dicen camaleón, reventacaballo dicen,
 dijeron (a grito pelado) ya voy, tocaron a la puerta.

La ancha puerta alta del aldabón, pegué con los nudillos, llueve (¿cuándo
 iré a mojarme?) cayó carcoma, un buen pedazo
 de mampostería, orín y orín, alzo la vista, nos
 asomamos los cuatro en nuestras batas de
 gruesa felpa color de cardenillo (tronó) se
 abrieron los espacios, nos restregamos los
 ojos y vimos en su primera aparición una
 baranda, los geométricos ribetes de un mantel,
 de golpe la luz por la ventana de mainel, y
 por la luz la buganvilia trepando.

LUGAR

Me despertó la enramada, luego que pasó el viento y clamaron los
    gorriones, el abeto creció de noche, el abeto está
    a su máxima altura esta mañana, se hizo silencio y
    sentí que tenía hambre.

Tengo hambre y abro un libro, me llega su marejada y la silencio (yo así
    no puedo) ahora rozo sus letras, me alambico,
    dejo que entre luz por mis costados por los
    ventanales del jardín, leo despacio, yo leo muy
    despacio de la negrura los rombos hasta un
    destello.

En el abeto veo un corpúsculo de luz, quizás soy un poeta lírico, quizás
    sobre la cómoda hay un retrato de familia donde
    todos sus miembros son mis padres tíos primos
    los abuelos, todos de una misma edad, están
    todos fotografiados a los treinta y cinco años,
    edad de resurrección en el cielo: ¿un poeta lírico?
    Yo soy real. ¿Un retrato de mi familia? Llevo
    semanas y semanas en una casa ajena.

¿Qué paisaje es éste; y qué este amanecer? El libro que leo no es de mi
    propiedad; mucho menos el cuarto, y menos
    aún las paredes baldas cortinajes el baldaquín
    de la cama, ¿yo bajo un baldaquín? Cosas sin fin
    (los libros) sucesos (trombas de sucesos)
    inesperados y sin fin llenan el mundo. Me da lo
    mismo. Son imágenes, son palabras, sitios.

Una página de San Agustín, abrir un diccionario para cerciorarnos, una
    página de Büchner, abrir las páginas de un libro
    de cocina libanesa, una página de Agnon: he ahí
    una gran ventura.

En lo que a mí se refiere es lo que es, y bien mirado, casa, suceso o libro
　　　que no sean de mi pertenencia, ni me va ni me
　　　viene: de mi pertenencia es un jarrón Ming de
　　　gran capacidad, buen tamaño, inmarcesible
　　　antigüedad, sin señor ni dueño, sin ley que lo
　　　gobierne, sin espejo que lo reproduzca, con
　　　monograma azul impecable sobre impecable
　　　fondo liso de porcelana, y que es cual viento
　　　en la enramada de un amanecer, Guadalupe,
　　　en que yo a tu lado (leo) sin querer, desnudos
　　　en somnolencia rozo tus pechos (leo) madre
　　　de mi hija y madre de mi madre (ves cómo
　　　me sentimentalizas) y del abeto del jardín
　　　dimanas sin fin y sin recuento (dimanan)
　　　de entre tanta negrura los gorriones.

Otros poemas

José Kozer

EPITAFIO (IMITACIÓN LATINA) (ADAPTACIÓN CUBANA)

Desde que Kozer ha muerto el cuartico está igualito.

El mármol es piedra pómez y la polilla sigue su curso.

Cuba da vueltas alrededor de sí misma y en un bosque de la China una china se perdió, Kozer, en el enredijo de tu literatura.

CULMINACIONES

En verano me sentaba desnudo a traducir un libro a una mesa carcomida
    de pino, cabían el original y los dos diccionarios,
    y de derecha a izquierda de izquierda a derecha
    la oruga (todos los días) comíamos papel.

Entre sombras inexactas las palabras, yo cada vez más cerca: las acarreo
    las adormezco, también yo me adormezco. Estoy
    en la actividad manual de dos parajes: en un terreno
    horado; rastrillo, sitúo (tras un largo deambular)
    en el otro y al menor roce, carcomido (digamos que
    de antemano) me desmorono: traduzco, no soy; no
    soy y traduzco (desnudo) doce catorce horas de
    exigencia manual (mental) al filo de nada que me
    recuerde a mí mismo, concordar más o menos es
    mi actual existencia, yo tenía (dos) quehaceres: un
    poco de música de fondo, y me explico: invariable
    es la música de fondo puesto que el fondo es
    invariable; Purcell, *In Guilty Night, Funeral Sentences,*
    Purcell Purcell machacando; invariable es asimismo
    traducir, no oigo, nada exclamo.

Horas y años al espejo: los dedos de la mano izquierda tocaban en
    superficie la ideal carroña de unas palabras en oración,
    de oración en oración me esmeraba (¿sentencioso?)
    llevo entre los dedos de la mano derecha terrones de
    otra comarca, lúpulo lento, y conservo la cicatriz de
    la oruga en la hoja de la morera (mi carne) su cicatriz
    en la catalpa del patio a través de la ventana: el sol en
    lo alto, antónimo exacto de unas letras: oro y traduzco.
    Traduzco y me repliego. No hay inquietud; sólo la fija
    algarabía de mi trabajo me guía de la mano, arado,
    yunta muy quieta, ojo de buey gramatical, reflujo
    fisiológico.

Aquel verano cuatro o seis veces al día traduje un libro al pie del olmo
del jardín bostezaba al anochecer, me vestía a la
ligera, de golpe me llevaba una mano a la cabeza
(¿rapado?) ya era todo visible, horadado: un solo
idioma, clavellina cornezuelo del centeno esqueje
o cantárida enrojeciendo bajo la luz del crepúsculo,
así entra la noche: y en la noche me cubro el rostro
(el portavoz, Isaías, me retrajo) hago lectura última
del nabí, no tengo nada que hacer, me viro, la
actividad primera de mí se desprende, queda mi
marca bajo la luz eléctrica en la ventana, restalla y
aparezco, ya no estoy incendiado.

Doy vueltas, en la órbita del ojo, mondo y lirondo reaparece el Atareado
con una rama de tilo me asperja la trasquilada cabeza,
ausentes meninges: yo no tengo nada que hacer, del
uno al dos todo está muerto, todo me parece sánscrito:
y miro y miro el mundo articulado que empapó la
noche aumentada, lisa pizarra la negrura; no hay
valle, no hay suelo, todo está traducido a su lugar,
incorpóreo: el único libro abierto recalca el
postrimero quehacer de las manos caídas en cruz
del regazo al libro infecundo, su péndulo que miro
y veo horas y horas se detuvo en los añicos de una
ventana.

CONDENSACIÓN

En la página 104 hay un anón.

Musa y baba, dulce flema, y el duro escupitajo negro de las semillas.

Sus letras.

Cierro el libro (masco, monótono) por sus fibras y ubre reconstruyo
    la fruta.

REGRESOS

La oveja orina un largo rato bajo el olmo.

Cruza el cielo un ibis inalterable.

Las constelaciones necesarias al ave a la oveja están ocultas en el
    subsuelo, brotarán sus meandros.

En la noche me sobrepondré al ruido continuo de las constelaciones por
    el sueño, apegado a la oveja rozaré sus vedijas
    (carnero, yo) el ovillo de mis pelambreras me da
    esta noche en el sueño un aspecto de efigie vuelta
    de perfil, ¿habrá para mí un astro?

Sé que al amanecer llamará mi madre, me sentaré un largo rato a segregar
    mis palabras (¿ocultas?) segregaré mis orines mis
    vedijas el ave de las constelaciones dará una vuelta
    a mi alrededor, hará resplandecer una tonsura en
    mi cabeza.

En mi cabeza cantarán la oveja y el ibis hasta la noche, a la noche saldrá
    la lombriz de tierra a beber rocío entre las
    flores ateridas del jardín.

Será otro sueño, y con su amago oscuro de figuras me quedaré inmóvil:
    la oveja vendrá a lamerme la barba rala del rostro
    el ibis tejerá un capullo de inalterables ropas para
    el cuerpo permanente: día o invierno o noche o
    verano el mismo ruido presente de unas alas, de
    un riachuelo manando del olmo a mi lugar primero,
    miro (emboscado, riendo) florecer el laurel de Indias.

OBJETO DE VERANO

Píndaro no sino Horacio sino Anacreonte y por encima de todo la madre
   irregular del verano.

Píndaro no sino el arco distendido del sauce danzando hoja a hoja en
   arco regular del verano: llama la brisa a la
   flauta llena de dioses.

Alabo el canto soy clásico digo oda Pan el caramillo ríe (exterior) a mis
   labios en contracción de asombro, procuro aire.

Oda roja al anochecer el sol tramontando su velo último escinde:
   rojizo el espantapájaros exhala en mitad del
   campo su canto al atardecer quebrando
   mimbres y henos.

Me asomo, joven aqueo de perfil y veo que el astro primero y clásico
   me mira y al vernos esquivamos iris y centelleo,
   pupila y fulgor, nos adormece el verano.

Regreso al libro: doy unos pasos externos hacia mi interior (divago)
   la estrofa simula variaciones de un pez en la
   superficie de los mares, su antistrofa dormita
   en la porcelana de un plato sobre la mesa
   (anocheció) perenne epodo este pasaje
   extraviado de la llena luna en el búho.

POSTULACIÓN

Escribo simulación porque a mí no me ocurre nada.

Ni los calcetines blancos ni mi enfermedad del oído, tampoco esta
   primavera que aún no arranca: tengo ganas de
   otro lugar, una cerveza larga (helada) se suben
   las cosas a la cabeza (ocurren) letras derramo:
   simular Zurich, Berlín, y simular Muralla y
   Compostela, existen a caballo las estatuas de
   los parques.

Simulan por mí un libre albedrío, una maraña de pensamientos
   intermitentes, y yo simulo verano, sol, olor a
   yodo (ya no huelen los mares) un mirífico muelle
   donde reconocer las tres cuatro formas (redomas)
   del pez del loto del viejo rescoldo que ilustra
   el núcleo de una palabra.

¿Cuál? ¿Qué más da? Da igual. Por ejemplo, la palabra cualquiera
   (sometida palabra a todos los avatares): lo mismo
   da rojo que negro (para la portada del libro), lo
   mismo da tirar mil que tres mil ejemplares, la
   letra garamond o polvo de estrellas: pomo o
   búcaro, mínimas expresiones que pertenecen
   por igual al conglomerado de expresiones de
   mi infancia: mi solaz son poemas (mi verdadero
   simulacro). Correr estilizado de unas palabras
   a la deriva (la poesía): las ajusto a medida que
   brotan, rápido, y con un gesto de la mano
   derecha o izquierda, su reajuste ocupa su forma,
   y la forma es pez (pomo) (búcaro) o candela
   (salitre) de letras o ascuas que se desmoronan.

Algún día quebraré el cristal, veré de cristal una rampa intacta, ya no
deslizaré más palabras, por la falla del cristal
habré pasado (¿transmigrado?) a lo translúcido
a tocar árbol pez llama o cabrilleo, me llevaré
a la boca un puñado de trizas (escamas) un ras
de materias y unos fogosos animalillos para matar
el hambre. Estaré exento, exento y a bien con los
objetos, entre comensales: un lento andar al hacer
saltar la fruta de la palma de la mano a una altura
suficiente, cogerla al bies en la boca (pulpa unísona
la boca) aureola concomitante de una flor anterior a
esa forma extrema de redondez (pulpa) que es la fruta.

BABEL

Mi idioma
natural y materno
es el enrevesado,
le sigue el castellano
muy de cerca, luego
un ciempiés (el inglés)
y luego, ya veremos:
mientras, urdo (que no
Urdu) y aspiro a un idioma
tercero para impresionar al
clero, a ver si puedo de una
vez por todas acabar esta
errancia, regresar a Ur, estancia
del estanciero habanero que fui
aquel año primero, cigoto, hocico,
marsupial, cebón y molleja,
gameto de sus potables pechos
empecinados en enseñarme
yiddish por el izquierdo, por
el derecho décimas y endechas
del güiro y del tres cubanos: de
dos en dos me fui alejando por
progresión geométrica, me volví
poeta (enrevesado) ni Urdu ni Ur,
más bien ripios, gallos, lenguajería
lisiada, tanatófoba, guillada,
siempre recelosa de la insalvable
distancia entre glotis y retina, glotis
Ur y retina Ur se van al diablo,
descalabro a la hora contrahecha
de la expresión: amador de vocablos
cuales turiferario y rubescente, no
retoco, lo pago caro y no cejo de

acatar a la Premiosa, me perjudico,
troto al día en el quehacer poético
(la salud me lo factura) un whiskey,
un poema, un poema, dos pajaretes,
un poema, tres cuatro dedos de vodka
y aquello ya parece *Obras Completas:*
el idioma dio de sí lo que pudo, a mi
madre se lo agradezco, y a la Madre de
madres de los idiomas: su bonche y
alharaca a babor, a estribor han dejado
estela ubérrima, Poesía, un túmulo vacío,
un catafalco deshabitado (pueril) (pueril)
y de regreso, cortejo fúnebre del lenguaje,
su cero utópico multiplicando indócil
la extremaunción (mil y una noches, con
sus días) de mis poemas en extinción.

BONANCIBLE

Del halda de la torcaza, Cuba, diurna la visto: no le doy forma estipulada
    de caimán, la convoco a otra boca, cuál es su
    forma, y cuál su manera de balbucir palabras:
    hable también de abedules (Cuba) y de tuyas,
    sea una hembra a coronar, a coronar por la teta
    excoriada de la Perra, y de su turbio calostro
    renazca la Isla, enagua de yaguas acogedora,
    refajo de pencas rezumando aroma del terebinto,
    aroma a hicaco (ya te invoqué). Soy hicaco, soy
    viejo, terebinto y adiós: salí, salido del plato era
    de chiquito (cuentan) todo lo recompongo por
    palabras: jabas a capachos a jabas, jamos a nasas
    a redada de chernas, pargos, el pargo lo serás tú:
    boca llena de ciruelas negras, Cuba, boca llena
    (palabrera): de negras uvas, Cuba (qué te parece)
    cómo te llamas: ¿le pondremos matarile? (deja
    eso) (déjala quieta a la señorita, que otro la baile):
    yo intentaré llamarte *Eretz,* adónde me fui: yo
    estoy donde estoy, nunca salí, aunque siempre
    estuviera allá un poco fuera, a que sí barín, a
    que sí mi socio, certera cosa el Ananké, cada
    cual con su destino: tres cosas soy, y a cada vez
    la otra: hilacha de la manga en la higuera, tabla
    de la majagua que hoy por ti mañana por mí sea
    abedul, y la tercera (soy) Cuba. Platabanda de
    vicarias al mar, frutal espejo nevado de paciencia
    fue mi destino, ni cuesta arriba ni cuesta abajo,
    flat flat (*a bit of English for* Cuba): *name of the Lord,*
    henequén; *of the Lord,* jagüeyes, y Regina,
    veneranda, los blumes de encaje te pondré.
    Chusma que eres, chusmón, que por palabras
    te quemas. Volveremos. Por una rendija que la
    deje ver desde el Japón, por una revuelta

(*convoluted*) del camino, que le deje ver desde
el Mar de China (Mármara) repoblándose (me):
batea tubey yarey bajo la uva caleta de la playa
Marianao, un domingo (tendrá que ser un
domingo) (y nada de París con aguacero,
nananina de eso) llegó la hora, del almuerzo:
Cuba, ya era hora. Hora a rebato; a comer
liberales del Perico, que aquí hay de todo:
yarey mango y tubey, *shmetene* para el puré
de papas, y salazón (mucha salazón: habrá que
irse) (furtivarse) hasta que llegue la hora del
hisopo y la bendecidera del regreso: vuelta de
hoja y aquí no ha pasado nada. Todos, vivos:
el Cariñoso el más Bicho el (más) Toqueteador
(todos) en una misma barcaza, una misma ubre
del habla (pilmama la manejadora, siete razas
del habla) razón primera, de vida: comámosla
de a entre todos. Sirve tú, Cuba: sirve ya, que
estamos a punto de exasperarnos, sirve ya.
Échale mojo a la yuca que me hice por primera
vez un domingo de vuelta de la imperecedera
playa, yuca inmortal bautizada cao cao por el
pájaro cao (maní picao): siete veces aleluya por
Santos Suárez. Vida hecha de lunes, aleluya,
siete veces al domingo: me la comí, están todos
convocados. Dos décimas manos se junten para
entregarle a dos manos al chiquitín del bigote y
del bombín la Isla de Cuba al caer (cayendo)
maná al pie de un río (cauto contramaestre que
nos iniciaste): de él también nací: a mi mesa, Cuba,
lo traigo. Mesa de Guanají, mesa Guanabacoa,
mesa barín hasta Baracoa, su alfa abro, saco
trenza del halda de la torcaza para el invitado y
para todos, la destrenzo y sirvo cucharón sopero
de viandas, cáscara fuera, féferes a la mesa, y de
la albúmina al huésped entrego el cigoto
templado y retemplado de la Caguama.

ÁNIMA

Está todo en su sitio.

El terebinto de mi bosque de letras.

La vez que presté atención al viento haciendo bailar las pencas y las
frondas: y lo denominé en mi cabeza viento
negro del rey Ajab, cesó el viento: una
llamarada blanca, cesó.

El cuarto, sé a ciencia cierta que es una representación de la máxima
blancura concebible asimismo de su vacío: lo
sé por su manifestación (res) (res) su discurrir,
conformarse materia y configuración: vedlo.
Una lámpara de noche de donde brota la
máxima claridad concebible de una hoja
amarilla del sicomoro la abeja travestida
hamadríade el cocuyo que es el relámpago
hecho trizas: la triza de lo verde vuelta
verdinegro vuelta negrura antes de
reconfirmarse cuarto amueblado por
cuatro o cinco objetos (todos en cuanto
confirmación revestidos *a grosso modo* de sus
cualidades más distintivas): ya puedo salir.

Puedo salir de espaldas de la habitación a mi abismo: vaciar (puedo) mi
renovación.

Está todo (en su sitio) dispuesto.

El alba o la negrura, la compasión de la Reina Madre por las aves, el
ruido impecable de la carpa en la alberca
zambulléndose al hambre, los dos nenúfares
(simultáneos) cerrándose: un rubí. Un

agotamiento de mi energía descomunal, de repente inexplicable (a la vez que esperado: y deseado, en última instancia): el Verbo. Y un versículo del Libro abierto al azar: «como vasija de alfarero haráslos añicos.» Y en verdad yo voy de mi figura al añico.

ÁNIMA

En Ecbatana el arco iris sólo es visible en santidad.

La floresta a mano derecha entre las ruinas se ha cuajado de acianos.

En cada flor desaparece otra estrella otro corpúsculo azul de Dios.

Antares (blanca) Alfa del Centauro (negra) Régulo (púrpura) Aldebarán
    (azul) (su azul aún no es verdadero): anaranjado
    (Arturo) argenta (Altair) oro (Vega).

De Vega el azul en potencia es más intenso: su corpúsculo ya estría el
    oro ya se reconfigura a mano derecha en
    la floresta una última secuencia de acianos.

El nombre de la estrella oscurece todavía uno de los apellidos de Beatriz
    oscurece (lapislázuli, retenido) la figura de
    Guadalupe encinta, todavía: desconoce la
    estatua de sal (al fondo). La azul intensidad
    del corpúsculo en la mirada de Guadalupe
    (guía) mano derecha a la floresta.

A mano izquierda (al fondo) la sal se desmorona (la estatua fue reconocida):
    un charco verdinegro refleja la intensidad
    bajo el sol del mediodía de un arrayán.

Guíame, arrayán, a los campos de aciano (guíame) tras la columna de sal
    al ojo lapislázuli de Guadalupe a la esfera
    imperecedera de la estrella en ruinas
    (Beatriz) ya en alto a la izquierda
    (Guadalupe) a la derecha (al fondo)
    guiadme del jaspe a la amatista al
    pie del resplandor.

ÁNIMA

Reinado del agua, al sesgo. Con fervor (agua) con fervor (agua). Lluvia
sin lumbre contraria al agua. Ígneo reinado el agua
del subsuelo, agua del agua. Agua vaciada, agua del
Reino. La clarividencia del agua entre las manos:
regocijo del cristal. Vaso, reposa. Llave estupefacta
el gobio que dormita al trasluz en la pecera. Arrobo
verdinegro del musgo. Alga transverberada. La avena
loca es agua. Traen agua las rosas de pitimini. Traen
agua los varasetos. Rosca contraria al agua, el pez.
Saeta, de agua. Nasa, vacía. Se desenreda la lenteja
de agua a ras (contraluz) de la superficie. Reaparece:
loto; libélula; noctiluca (se estrelló). Reinado de la
Muerte, agua que sobreviene. Reinado que sobreviene,
astilla del agua. Una muerte, un loto. Una muerte, un
rubí. Una muerte, trasluz de la libélula a la hora cuando
revierte: noctiluca; gobio; nasa. Agua, vacía. El musgo
(óseo) se desenrosca, polvo de tuétano (orín, la hez
de toda vendimia). Reinado del trasluz, reino del orín:
guadaña; cedazo; escombro. Escombro del agua, el
vaso. Escombro del vaso, el musgo. Musgo
transverberado a ras de una superficie (trasluz)
contrariado del agua. Haz que no transcurra, gobio.
Haz que no se manifieste más, libélula. Centella,
haz que repose. Un ascua, alga; alga desenroscada
el agua estancada. Agua estancada eslabón
verdadero. Madre estancada, a su reino. Reino de
la gota en reiteración de la Nada. A su vacío
(vaciado) de agua. Vacío al sesgo (vaciado) de la
llovizna al golpear (catarata) los techos de pizarra.
Ojalá. Ojalá. Así el vacío así el agua.

ÁNIMA

Paul Vignaux (mucho se lo agradezco) me pone en el camino de la *sacrae eruditionis summa*.

Pianto della Madonna (Monteverdi) *a fair sight to my ears:* en Sión reposo
    sentado sobre la arena apoyado a una piedra miro
    en lo alto una cúpula (aún, intangible) en su cima
    reverbera curvado lo intangible: cierro los ojos
    (en Sión) *O quam pulchra est.*

Por mor de tangibilidad (ya que es bueno tener los pies sobre la tierra)
    se sobreentiende que quien esto suscribe hace la
    digestión sentado en su butaca de lector (torre de
    Montaigne) rodeado (quizás sea algo aparatoso) de
    libros (toda una acrobacia este asunto de los libros):
    una rápida ojeada muestra a mano izquierda el buró
    de pino barnizado sobre el velador Mevacor 10 mg.
    (hay que precaver) en efecto el libro de Paul Vignaux:
    a mano derecha (sobrevolando) Quevedo (páginas
    inmortales del reverendo chueco antisemita
    cojitranco cegato: cegato mas no efímero): se ven
    también unos poemas (todo un fajo de tankas)
    de la Princesa Shikishi: laderas bambú escarcha el
    cuclillo (*venite; venite*) en la cima del monte Katsuragi
    la escarcha recién formada reflejando a ras el vuelo
    (verdadero sobrevuelo) de la bandada de colimbos.

Yo opto yo opto por leer yo opto este atardecer bajo el formidable peso
    (sobrepeso verdadero) de todas las escritoras
    criaturas compositoras o estudiosas criaturas
    yo opto por leer en voz baja (queda) (queda)
    el breve poema de Koran Shiren (poeta Gozan)
    donde refiere en breve cómo la firmeza de las

cosas pierde el pie o cómo en el temor (verdadera
lección de tinieblas) la ausencia absoluta de ruido
o viento permite oír la lejana campana que a todos
anuncia la conservación de una y todas las cosas
forjadas de intangibilidad.

El acto de materia por consecuencia es cierto: *venite, venite.* Es cierta
cierta materia por consecuencia *Laudate Dominum:*
y por consecuencia en breve qué vista qué de oídas
qué ruido o qué viento el campanazo qué y qué la
especie por cierto qué ha sido o fue todo esto y qué
de qué la hora (consumada) qué yo ni qué qué
reconfirmación la criatura.

ÁNIMA

Crucé el umbral, puse el pie en una calle de arena, Vía Láctea, mediodía
   el espejismo de una sola estrella.

Camino de espaldas, sé que camino de espaldas, a un lado y otro
   deambulo, la soga al cuello, reata de mí mismo,
   adentro, a punto de cruzar el umbral todo
   permanece intacto.

Dos veces me advierten que me quede quieto, no se contradicen, es
   imposible que no se contradigan, no entiendo:
   una figura resbala por el espejo de cuerpo entero,
   la misma figura (otra voz) se ha fijado al espejo
   ovalado de vuelta al origen del azogue.

Cómo me llamo cómo me llamo, a qué: Vía Láctea el agua, intacta arena
   la huella de mis pies al cruzar el umbral, sé que no
   soy yo (ya era hora) a un lado y otro lo corroboro,
   corroboro que de perfil no soy yo, he cruzado:
   un tiempo bonancible, sin senda.

Una vuelta en derredor me trae el apogeo de mis progenitores, arena
   (hasta donde alcanza la vista) bailamos: sus
   progenitores de piedra caliza golpean ajorcas
   de agua, atambor el aire, un rastro de cardenillo,
   un sendero de malaquita, reímos: sentados;
   semeja un trono la hierba.

Me vuelvo, a mis espaldas un mueble de majagua, la desolación del
   azogue: me han devuelto la mirada. Se incrustaron
   de pie en el espejo del escaparate, sentados se han
   incrustado en el espejo oval del dormitorio:
   es la hora.

Yo por mí estoy dispuesto. Buena señal la intensidad del calor, la aparición
del sol en mitad del cielo, cuarto creciente la luna
transida de calor.

Agazapado, canto: alzo la voz, desciendo. Sonríen. Están contentos. Doy
por sentado que por primera vez están contentos.
A sus pies me coloco, recibo la bendición de sus
progenitores. Cae el cardenillo, cae la arena: voz
de progenitura.

Nos calzamos. Manto ritual. Solideo. La voz alzamos. Tres voces fuimos
voces de arena somos, de nuevo: lenguas de fuego,
ateridas. Nos inclinamos (reunidos) rozamos la madera
pulimos la madera: una estrella incrustada en la frente.

Beato Angélico, dame la mano que llega el tránsito, se estrecha la puerta,
aparece el leopardo, en sus ojos la estrella, la
señal de la arena, madre impostada.

ÍNDICE

La poesía de José Kozer: del cacharro doméstico a la Vía Láctea, por
    Jorge Luis Arcos / V

De *Y así tomaron posesión en las ciudades*
    Shul / 5

De *Jarrón de las abreviaturas*
    Zen / 9

De *Bajo este cien*

    ÁLBUM DE FAMILIA

    Éste es el libro de los salmos que hizo danzar a mi madre / 17
    Te acuerdas, Sylvia / 18
    Mi padre, que está vivo todavía / 19
    Noción de José Kozer / 20
    Pero yo vuelvo a la carga invisible de los versos / 21
    Gaudeamus / 22

    TRÍPTICOS

    Wo / 27
    La guerra en los bosques / 28
    En la montaña de Nebó / 29
    Fulguración de la naranja / 30
    Patio interior / 31
    Redoble por Wallace Stevens / 33
    Naturaleza muerta de Franz Kafka / 34
    Disposición / 35
    Monje entre arcángeles / 36
    San Francisco de Asís / 37

De *La garza sin sombras*
    Periferia / 43

Un pan inmortal / 46
La visita / 48
Apego de lo nosotros / 50
Una resurrección / 55
Lugar / 59
Kendo / 60
Zazen / 61

De *El carillón de los muertos*
Legado / 67
Figura votiva / 70
Escorzo / 71
Epitafio / 72
Ofertorio / 75

De *Carece de causa*
Figura primogénita en su lugar / 83
Exterior / 85
Ecos / 87
1983: final / 89
Oda, de mi país / 93
La exteriorización de sus sitios / 95

De *De donde oscilan los seres en sus proporciones*
Icono / 101
De las especies / 102
De lo exterior / 103

De *Prójimos. Intimates*
In memoriam / 107

De *una índole*
Autorretrato / 113
Hölderlin / 115
Semejanza / 117

De *Trazas del lirondo*
Autorretrato / 121
Autorretrato / 123
Pulverizaciones / 124
Final / 126

De *a Caná*
    Sic transit / 129
    Periplo / 130

De *et mutabile*
    El árbol de la vida / 135
    De los nombres / 136
    Don / 138

De *AAA1144*
    Preámbulos / 143
    Réquiem / 144
    La beatífica visión / 146
    Inveterado / 148
    Vida regalada / 149
    Oquedad / 151
    Oro / 152
    La recurrencia / 153
    Estado de cuentas / 155
    El reconocimiento / 156
    Alegría / 157
    Oblea / 158

De *La maquinaria ilimitada*
    Locomotriz / 163
    Magua / 167
    Márgenes / 170
    Encuentro en Cho-Fu-Sa / 172
    Silogismo del espejo / 175

De *Dípticos*
    Centro de gravedad / 179
    De la nación / 181
    Lugar / 183

Otros poemas
    Epitafio (imitación latina) (adaptación cubana) / 187
    Culminaciones / 188
    Condensación / 190
    Regresos / 191
    Objeto de verano / 192

Postulación / 193
Babel / 195
Bonancible / 197
Ánima / 199
Ánima / 201
Ánima / 202
Ánima / 203
Ánima / 205

Este libro se terminó de imprimir en el
mes de diciembre de 2001, en los talleres gráficos
de Quebecor World Bogotá S.A., Bogotá, Colombia.
La edición consta de 2.000 ejemplares .